사 랑 하 는
나의아내 송재룡
천 국 가 는 길

사랑하는 나의 아내 송재룡
천국 가는 길

—

초판 1쇄 2017년 11월 23일
지은이 문병기
펴낸이 김영재
펴낸곳 책만드는집

—

주소 서울 마포구 양화로3길 99 4층 (04022)
전화 3142-1585 · 6
팩스 336-8908
전자우편 chaekjip@naver.com
출판등록 1994년 1월 13일 제10-927호
ⓒ 문병기, 2017

—

—

ISBN 978 - 89 - 7944 - 630 - 2 (03810)

사 랑 하 는
나 의 아 내 ○ 송 재 룡

천 국 ＼ 가 는 ╱ 길

•
글
문
병
기

책만드는집

　　예로부터 부부는 일심동체一心同體라고 하였다. 일심동체는 '한마음 한 몸'이라는 뜻으로 '서로 굳게 결합함을 이르는 말'이라고 정의되고 있다. 하나님께서도 말씀을 통하여 진리를 일러주시길, 부부는 한 몸이며 하나님께서 짝을 지어주시는 것이라고 하였다. 마태복음 19장 6절에 "그런즉 이제 둘이 아니요 한 몸이니 그러므로 하나님이 짝지어 주신 것을 사람이 나누지 못할지니라"라고 했다. 이렇게 본다면 부부야말로 이 세상에서 가장 아름답고 소중한 존재라고 볼 수 있다.

　　우리는 살아가면서 흔히들 부부가 백년해로하라는 덕담을 듣기도 하고 말하기도 한다. 이것처럼 부부에게 축복의 말이 어디에 있겠는가? 부부가 한 몸이라고 하였으니 자연히 죽음도 함께하는 것이 당연한 것이 아니겠는가?

　　그러나 생명의 주관자는 하나님이시므로 이것 또한 우리 마음대로 할 수 없다. 부부가 때로는 백년해로는커녕 병들거나 사고로 인하여 한쪽이 먼저 이 세상을 작별하는 경우가 많이 있다.

언젠가 신문에서 사람들이 겪는 경험 가운데 가장 큰 쇼크 shock는 배우자의 죽음이라는 기사를 보았다. 그만큼 한 몸으로서 겪는 충격이 크다는 것이다.

여기에 나오는 글은 어떻게 보면 순애보처럼 들린다. 사실 여기에 나오는 글들을 구구절절 읽어볼 때 사랑하는 사람을 먼저 보내고 절규하는 피맺힌 부르짖음을 피부로 느낄 수 있었다. 더욱이 문병기 장로님은 하나님을 경외하는 분으로서 사랑하는 권사님과 함께 주님의 몸 된 교회를 섬기면서 남다른 부부애로 타 성도들에게 모범을 보여왔다. 그 아름다운 모습을 오랫동안 보이지 못하고, 홀로 훌쩍 떠나버린 권사님을 생각하면서 1년여간을 일기의 형식을 통하여 당신의 마음을 기록하여 놓았던 것이다.

이것 또한 하나님이 주신 아름다운 마음이요, 장로님이 가진 희로애락의 정서라고 본다.

　부족한 종도 장로님과 권사님과 함께 주님의 몸 된 교회를 섬기면서 때로는 좋은 일로서, 때로는 어려운 일로서 몸과 마음을 나누었다. 특히 잊지 못할 것은 권사님은 말솜씨도 맵시가 있고 구수하여, 목회하는 나에게 많은 위로가 되었던 것이다. 음식 솜씨도 탁월하여 언제나 손님 대접하기를 힘썼던 그 모습이 지금도 내 머리를 스쳐 지나간다.
　권사로서 말씀과 기도에 힘쓰셨던 권사님, 이제는 하나님의 나라에서 평안을 누리며 두고 가신 장로님과 가족들, 대성의 권속들을 바라보면서 기도하고 계시는 줄로 믿는다.

　"사람은 보지 않으면 마음도 멀어진다Out of sight, out of mind"라는 말도 있는데 이렇게 여기에 글로써 사랑하는 권사님을 향한 마음을 담아놓았으니 권사님이 생각날 때마다 이 글을 읽어

봄으로써 고인을 추모할 수 있을 것이다.

　세상이 날로 각박해지고 사람들의 마음이 강퍅해지는 무정한 이 시대에 여기에 고백하고 있는 글들을 묵상해보면서 우리들의 마음도 새롭고 온유해지기를 원한다.

－2017년 4월

대성교회 원로목사　김홍근

공항동 대성교회에 부임한 지 얼마 되지 않은 젊은 목사가 문병기 장로님의 인생이 담긴 소중한 글들을 모은 책에 격려사를 쓴다는 것이 마음에 적잖이 부담이 되었습니다. 그러나 장로님의 간곡한 부탁의 말씀에 장로님의 인생을 속속들이 다 알 수는 없지만 몇 개월 함께 신앙생활을 하면서 직간접적으로 장로님에 대해 알게 된 대로 격려사를 적어봅니다.

장로님께서는 팔순에 가까운 연세임에도 불구하고 투철한 신앙관과 근면 성실함을 가지고 지금도 청춘처럼 살아가고 계십니다. 건강하게 직장 생활을 하시며 시간이 날 때마다 성경을 읽으시며 말씀 중심으로 삶을 살아가려는 장로님의 모습에 큰 감명을 받습니다.

뿐만 아니라, 하나님의 섭리 가운데 평생 사랑하고 아끼셨던 아내 송 권사님을 먼저 하늘나라로 보내시고, 그 많은 날들을 슬픔과 고뇌 속에 거하셨습니다. 그러나 그 슬픔과 고뇌를 겉으로는 전혀 내색하지 않으시고 항상 밝은 모습으로 하늘나라에서 다시 만날 소망을 가지고 긍정적인 마음으로 살아가시는 모습을 볼 때, 하늘 소망을 가진 참하늘 나그네로서의 인생을 보는 듯하여 감사하기만 합니다.

이번 장로님의 글들을 통해 하늘 나그네로 살아가야 하는 모든 교우들에게 큰 위로와 소망이 전해지길 소원해봅니다.

그리고 장로님의 앞으로의 남은 삶이 영육이 강건하여 이전보다도 더 하나님을 사랑하고 이웃을 사랑하는 하나님의 영광을 위해 존재하는 날들이 되기를 기도합니다.

－2017년 9월

대성교회 담임목사　전태균

세상에 많은 사람들이 배우자와 결혼해서
그야말로 백년해로하면서
평생을 같이 살다가 같이 떠난다면 얼마나 좋을까요?

하지만 이 글을 쓴 저는
결혼해서 반평생인 50년을 배우자와 같이 살지 못하고
안타깝게도 아내를 먼저 저 하늘나라로 보내게 됐습니다.

그 후, 외롭고 쓸쓸한 마음으로
수많은 날들을 눈물로 살아오던 중에
평소 늘 아끼고 사랑했던 아내를 생각하고 추억하며
'아내에게 바치는 노래'라는 제목으로
사별 후 1년 이상, 틈틈이 글로 써놓고는
자녀들과 함께 읽고 또 읽었습니다.

그러다가 이 같은 순애보의 이야기를

그냥 묻혀두기가 아깝다는 가족 식구들의 권면에

졸작이지만 이렇게 책을 펴내게 됐습니다.

후세를 살아가는 모든 이들이

언젠가 한 번은 겪어야만 하는 일에

조금이라도 위로가 됐으면…… 하는 마음에서입니다.

여러모로 부족하고 보잘것없는 작품이지만

아무쪼록 이 글을 보시는 분들의 마음과 그 삶에

작은 위로가 되길 소망하며

글쓴이의 애처로운 심정을 헤아려주시면 감사하겠습니다.

문병기

남의 일인 줄만
알았는데

여보! 사랑하는 당신!

옛날 당신이 건강하게 우리 집 살림 잘 꾸려나가며 별 탈 없이 평범하고 검소하게 살아갈 때는, 병들어 아파 고생하거나 불의의 사고로 장애를 안고 어렵게 살아가는 사람들을 보며 '저 사람들은 참 삶이 힘들겠구나!' 그저 남의 일로만 생각했지? 그런데 막상 우리 가정에 이런 일이 생길 줄이야.

수년 동안 질병으로 고생하며 약으로만 버텨오던 사랑하는 나의 당신! 나에게 오지 말았어야 할 일들이 기어이 오고야 만 현실 속에서 당신이 아파하는 모습을 보니 나는 억장이 무너질 것 같은 심정이 되어 하루하루를 보내고 있소.

2015년 10월 8일. 다시 또 삼성병원에 입원하여 힘에 겨운 검사와 치료 등을 감내해오던 당신! 10여 일간의 치료 후 퇴원해서 집에서 지내는 것만으로도 나는 크나큰 행복을 느꼈소. 바람이 있다면 진통제를 먹지 않고도 아프지 않다면 얼마나 좋을까?

사랑하는 여보! 앞으로 내 곁에 얼마나 있어줄지는 모르겠지만 더 이상 몸이 아프지 않고 더 이상 몸이 망가지지 않고 오래오래 내 곁에 있어준다면 얼마나 좋을까?

사랑하는 여보! 입맛이 없겠지만 먹고 싶은 것 먹고 힘을 내서 밤새워 하고 싶은 얘기 하며 오순도순 즐겁게 살아가자구요!

여보, 사랑해요!

2015년 10월 27일

내 곁에만
있어주오

사랑하는 당신!

정말로 내 곁에만 있어주오. 수많은 날들을 병원에만 들락날락해도 좋으니, 내가 진심으로 고백하오니 내 곁에만 있어주시오! 세상에 나올 때는 순서가 있어도 죽을 때는 순서가 없다고 하지만 내 사랑 여보는 갈 때도 순서를 지켜서 나보다 나중에 가는 것이 순리가 아니겠소?

여보! '새치기'라는 말을 들어보았지요? 줄을 서서 앞사람부터 차례차례 버스를 타야 하고 또 우리 교회 식당에서 점심을 먹을 때 줄을 섰다가 내 차례가 오면 밥을 타 먹는 것, 당신은 이런 것을 너무나도 잘 알면서 죽음은 내 앞에서 먼저 가려고 새치기하면 되겠어요?

그런 엉뚱한 생각일랑 하지 말고 비록 아파서 힘들겠지만 제발 내 곁에서 오래오래 같이 살자구요!

내 사랑 여보!

지난밤에도 우리 집 넓은 거실에서 당신과 막내딸 혜영이를 생각하며 '병원에서 얼마나 고생을 할까?' 허전한 마음으로 선잠을 이루었다오.

　당신! 아프고 힘들겠지만 한 10년만이라도 좋으니 제발 제발……내 곁에만 있어주구려.

2015년 11월 11일 05시

아내에게 바치는 노래   제 2 탄
《내 곁에만 있어 주오》

사랑하는 당신! 정말로 내 곁에만 있어 주오.
수많은 날들을 병원에만 들락 날락 해도 좋으니
내가 진심으로 고백하오니 내 곁에만 있어 주서오,
낳을 때는 순서가 있고 죽은 때는 순서가 없다고
하지만 내 사랑 여보는 갈 때에도 순서를 지켜서
나보다 나중에 가는 것이 순리가 아니겠소?
여보! "새치기"라는 말을 들어 보았지요? 줄을 서서
앞 사람부터 차례 차례 빼쓰를 후산 하고, 또 우리교회
식당에서 점심을 먹기 위해 서 준을 섰다가 내 차례가
오면 밥을 더 먹는 것, 당신은 이런 것 너무나도
잘 알면서 죽음도 내 앞에서 먼저 가려고 새치기
하면 되겠어요? 그런 엉뚱한 생각 하지 말고
비록 몸이 아파서 힘들지만 제발 내 곁에서 오래
오래 같이 삽시구오, 내 사랑 여보! 지난밤에도
우리집 넓은 마루방에서 당신과 막내딸 혜영이를
생각하며 병원에서 얼마나 고생을 할까? 허전한
마음으로 설잠을 이루었소. 당신! 아프고 힘들겠지만
한 십년이라도 좋으니 제발 제발 내 곁에만 있어주구려.

                        2015. 11. 11. 야서

잠이 안 와 이렇게라도 글을 쓰며……

021

잠 못 이루는
밤에 1

사랑하는 여보!

당신이 차려준 맛있는 밥을 못 먹어본 지가 벌써 몇 달이 지난 것 같군요. 병치레하느라 고생 많은 당신! 허나 당신만을 원망할 수는 없군요. 당신이 병으로 고생하는 것이 이 못난 남편이 부덕한 탓이라는 것을 요즘 절실히 느끼고 있네요.

일주일 간격으로 당신은 병원에, 나는 집에 떨어져 생활하는 우리이기에 서로의 불편함은 이루 말할 수 없겠지요. 당신이 없는 우리 집 거실에는 냉기가 싸늘하여 이불을 덮어도 덮어도 추워서 잠을 못 이루겠소. 또 먹을 것이 집에 가득 있지만 먹어도 먹어도 배부른 줄 모르니, 도대체 이게 무슨 이유일까요?

옛 어른들의 말씀이 새삼 와 닿네요. 집에 가면 마누라가 있어야 하고, 잠자리는 마누라와 같이해야 따뜻하며, 음식은 마누라가 해주는 밥을 먹어야 배부르다는 말들이 참 명언이라고 생각이 되네요.

당신이 없는 집에서 홀로 잠자리에 들면 별의별 생각이 다 들어요. 망상인지 공상인지 몰라도 허구한 날 지나온 일과 앞

날에 닥쳐올 여러 가지 일들을 생각하느라 잠 못 이루는 밤이 늘고 있다오.

지금도 있는 것으로 아는데, 그 옛날 〈별이 빛나는 밤에〉라는 라디오 프로그램은 바로 나와 같은 처지의 잠 못 이루는 사람을 위한 심야 프로가 아닐까 싶어요.

자, 그건 그렇고 우리 막내딸 혜영이 칭찬 좀 해야지요. 사십 평생 엄마 곁에서 보고 배운 대로 따라주는 딸이 마냥 귀엽고 고마울 뿐이에요. 엄마 병간호하랴, 엄마의 솜씨대로 음식 준비해서 아빠 대접하는 모습이 대견스럽기도 하여라.

사랑하는 내 딸 혜영이! 그래도 그놈은 아빠가 큰 버팀목이 되는 모양이지? 아빠에게 의지하는 기색이 여실히 드러나고 아빠를 잘 대해주니 더 이상 고마운 일이 있겠소?

아들 인균이 가족, 큰딸 소영이네 가족! 우리 삼 남매의 가족 식구들은 앞으로도 의리 변치 말고 아빠 엄마의 바람을 잊지 말고 서로서로 사랑하며 살아가거라.

2015년 11월 15일 새벽에

잠 못 이루는
밤에 2

사랑하는 나의 여보!

당신은 얼마 전에 큰딸 소영이가 방과 거실 창문에 두껍고 좋은 겨울 커튼을 달아주어 많이 좋아했지? 올겨울은 추위 걱정 안 하고 따뜻한 겨울을 나겠구나, 하며 매우 좋아했지? 추위 걱정 없이 나와 함께 따뜻한 겨울을 날 것처럼 기뻐하던 모습…….

그리고 햅쌀 세 포대를 샀는데 멥쌀 한 포대, 찹쌀 두 포대를 샀기에 "당신! 쌀 잘못 산 거 아니야? 멥쌀에 찹쌀 조금씩 섞어서 밥을 해 먹으려면 멥쌀 두 포대, 찹쌀 한 포대를 사야 맞는 건데, 찹쌀을 멥쌀로 바꾸어야 되겠네?" 하니, "여보! 당신 그렇게도 몰라요? 찹쌀 많이 산 것은 당신 찰떡 좋아하잖아요. 당신 잘 먹는 인절미 해주려고 그렇게 샀으니 걱정 마세요"라고 말하던 당신……. 이제 이후로는 사랑하는 나의 여보가 해주는 맛있는 음식을 먹어보기 어렵겠네요.

빈틈없이 알뜰한 사랑하는 여보! 당신! 하늘나라가 보이나 보군요! 가까워지는 것을 느끼고 있군요! 이 세상에서 아픔과 고통을 더 이상 위로받지 못할 것을 알고 미리미리 준비하는 것 같군요.

남편과의 따뜻한 겨울잠! 잘 먹는 인절미 만들어서 먹이려던 희망! 이제 이후로는 모두가 헛된 꿈, 실천하지 못하는 한 가지 꿈으로 남겠군요. 허나 하나님의 품은 엄마의 품보다, 남편의 품보다 더 포근하고 따뜻하고 편안할 것이라고 나에게 보여주는군요.

내 사랑 여보! 부디부디 세상의 미련, 남편과 사랑하는 가족의 미련 다 버리고 당신이 원하시면 당신이 그리워하고 사모하는 그곳에서 제2의 새로운 삶을 누리시구려!

사랑하는 여보! 나와 결혼해서 47년 동안 열심히 살아준 것, 너무너무 고맙고 너무너무 행복했어요. 감사해요.

2015년 11월 20일 금요일 새벽 2시

잠 못 이루는 밤에

사랑하는
아내에게

　매사에 똑소리 나고 빈틈없이 살아오던 당신!

　몇 달 전부터 병치레하는 중에도 아프다고 신음을 하다가도 밤 12시 혹은 새벽 1시에도 일어나서 절여두었던 생선을 꺼내서 다듬던 일, 냉장고를 열고서 구석구석 닦던 일……. 그릇들을 하나하나 정리하는 모습을 보고 "당신, 자다 말고 뭐 하는 거야?" 물어보면, 잠이 안 와서 그렇다고 했지요. 여러 날 동안 그런 일을 반복하는 것을 본 나와 아이들은 엄마의 행동을 살피지 않을 수가 없게 되었지요.

　나와 아이들은 '엄마가 혹시 치매 증세가 오는 것이 아닌가?' 의심하지 않을 수 없게끔 되어 막내 혜영이에게 다음 진료차 병원에 가면 엄마의 행동에 대해서 상의해봐라, 당부했지요. 엄마 닮아서 똑똑한 우리 혜영이가 의료진에게 물으니 그런 증상은 치매 초기 증상일 수도 있고 또는 죽음을 준비하는 과정일 수도 있다고 했다더군요.

　사랑하는 여보!

사랑하는 나의 여보!
아픈 모습이지만 꽃보다 이쁜 당신!!

이 못난 남편을 용서해주구려. 치매 증세라고 착각한 것을 용서해주구려.

당신의 신앙은 나보다 한 수 위라는 것을 비로소 깨닫게 되었어요. 당신이 천국을 사모하며 미리미리 준비한다는 것을 이제야 깨달았어요.

지난 10월에는 회사 텃밭에서 조선무 다섯 개를 뽑아 왔는데 당신은 무를 보고 "참 맛있게 생겼네. 깍두기 하면 정말 맛있겠다"라고 말한 적이 있었지?

결국 아픈 몸을 이끌고 무 다섯 개를 깨끗이 씻어서 내가 잘 먹는 깍두기를 두 통 담가놓았지? 당신 병원에 입원하기 전날, 베란다에 담가놓은 깍두기가 익는 냄새가 나서 살짝 꺼내 먹어보니 그 맛이 아주 꿀맛과 같았어요.

당신과 막내딸이 병원에 있는 동안 나는 그 깍두기만 먹고 회사에 출퇴근을 했어요. 정작 당신은 맛있는 깍두기 한 개 먹어보지도 못하고…….

그뿐인가요? 평소 당신이 간장게장 좋아하는 것을 아는 교회 어느 분이 네 마리를 먹음직스럽게 담가서 우리 집 냉장고에 넣어놨는데 주인 없는 간장게장은 냉장고에서 슬피 울고 있어요.

사랑하는 여보!
병원에서 얼른 퇴원해서 맛있는 깍두기랑 간장게장이랑 먹고 힘을 내길 바라요.

생각해보면 정말로 우리 집 식구들은 먹방으로 소문난 집이었죠? 지난여름에는 당신이 잘 먹던 메기매운탕, 해물탕도 여러 번 먹었고, 한우 고기도 잘 먹었지요. 한우 6인분도 막내딸과 셋이서 꿀꺽 먹어치우던 일이 새삼스레 떠오르네요.
그렇게도 잘 먹던 당신이 어쩌다 밥 한 숟가락, 물 한 모금 못 넘기는 안타까운 처지가 되었을까?
지금은 당신이 먹지 못하니까 나까지도, 아니 혜영이까지도 먹고 싶은 것 못 먹고, 누리고 싶은 행복 누리지 못하는 심정,

당신은 알고 있어요? (하긴, 이건 내 욕심이구려.)

날마다 엄마의 병간호를 마다하지 않고 돌봐주는 막내딸 혜영이가 대견스럽기만 하군요. 안쓰러운 마음…… 애비로서 금할 길이 없어요.

사랑하는 여보!
혜영이 칭찬 좀 해주구려! 앞으로는 막내 혜영이가 아빠 잘 모시고 살겠대요. 그러니 너무 걱정 말아요.

사랑해요, 당신!

2015년 11월 21일 토요일 새벽 3시
당신의 사랑, 남편이

47년간 함께해줘서 고맙고 행복했어요

천사 같은 당신!
사랑하는 나의 여보!

　할머니의 기도와 사랑을 먹으며 무럭무럭 자라온 우리 손주들 주은아, 찬혁아, 겸빈아! 이 할아버지는 너희들을 볼 때마다 죄를 지은 사람처럼 마음이 혼미해지고 사랑하는 너희들 보기가 부끄러워지는구나. 너희들 할머니의 병세는 갈수록 악화되어가고 의식조차 희미해져 가는 모습을 볼 때에 너희들 곁에 남아 있을 시간이 얼마 안 될 것 같으니 말이다.

　사랑하는 나의 여보!
　어제 오후, 손자 겸빈이가 할머니의 손을 꼬옥 잡고 "할머니! 겸빈이 왔어요! 할머니! 저 겸빈이에요" 하고 할머니를 불렀을 때, 대답도 못 하고 눈도 뜨지 못했지만 어린 손자의 말소리를 알아들었는지 조용한 미소로 흐느끼면서 손자의 손을 꼭 잡아주던 당신의 모습에 나의 눈시울이 붉어졌지요.
　사랑하는 나의 여보!
　지금 이 순간, 나와 우리 삼 남매 식구들의 마음이 얼마나 아플지 당신, 짐작이나 하고 있나요?

사랑하는 나의 여보!

손주들이라면 당신의 눈에 넣어도 아프지 않을 정도로 애지중지 키워오던 당신! 외국에 가 있는 주은이, 찬혁이, 그리고 사위 승돈이가 얼마나 보고 싶을까?

여보! 몇 시간만 참아주시구려. 헝가리 부다페스트에서 비행기 타고 이곳 서울로 달려오고 있으니까요. 애들이 오거든 힘없는 당신의 손이지만 마지막으로 두 손 꼭 잡고 기도 좀 해주시구려.

사랑하는 나의 손주들아!

이제 이후에는 더 이상 할머니의 기도와 사랑을 받을 수 없겠구나! 인자하고 온화한 모습을 볼 수도 없겠구나! "주은아! 찬혁아! 겸빈아!" 부르시던 할머니의 그 음성을 영영 들을 수 없는 현실이 되어가는구나.

✝

내 사랑 여보!

당신이 늘 그리워하던 하늘나라에 가거든 47년 동안 살아준 남편, 그리고 당신이 낳아준 소영이, 인균이, 혜영이 삼 남매의 가족 식구들을 위해서 기도 많이 해주세요.

사랑하는 여보!

그러고 보니 오늘이 11월 22일 주일이군요. 얼른 일어나서 흐트러진 머리 또르르 말고 교회 갈 준비 해야 하지 않겠소? 이 세상에서의 마지막 예배인 것 같은데, 당신이 수십 년 동안 다녔던 대성교회 3부 예배에 참석해서 나와 같이 예배를 드린다면 얼마나 좋을까?

사랑하는 여보!

당신의 73년 동안의 삶, 나와 결혼해서 47년 동안의 삶. 길다면 길고 짧다면 짧은 생애를 못난 남편 만나서 평생 호강 한번 못 하고 고생 많이 하며 살았지? 그래도 나에게 불평 한번 하지 않고 살아준 당신이 너무나도 고마울 뿐이오.

당신, 병치레하느라고 먹고 싶은 것 못 먹고, 좋은 곳 구경도 제대로 못 하고 일생을 마감한다니 나로서는 한없는 슬픔이군요.

감사해요. 고마워요. 당신과 47년간 사는 동안 너무너무 행복했어요.

사랑하는 여보!

당신 먼저 하늘나라에 가서 좋은 자리 준비하고 있어요. 나도 머지않아 따라가오리다.

여보! 사랑해! 새벽기도 갈 시간이 되었네요. 세수 좀 하고 교회 갈 준비 할게요. 오늘도 당신 많이 많이 사랑할게요.

2015년 11월 22일 주일 04시
당신의 여보가 아픈 심정으로

마지막 가는
순간

　　을씨년스러운 가을 날씨! 아침 일찍 직장에 출근한 나! 오전 8시 회의 시간에 "부장님! 오늘은 오전 근무 마치고 제 처가 입원해 있는 병원에 가봐야겠습니다. 엊그제 주말 내내 너무도 심한 통증이 오는 것이 조금 이상해서요. 아무래도 오늘이 마지막 고비인 것 같아서요" 말씀을 드렸더니, "그래요. 그럼 얼른 병원에 가보시오!"

　　"네. 가보겠습니다."

✝

　　낮 12시경에 삼성병원에 도착했는데 아니나 다를까? 삼 남매가 엄마 곁에서 엄마의 호흡을 지켜보며 안타까운 심정으로 병 수발 하는 것을 보는 순간, '하나님! 몇 시간만 좀 버티게 해 주세요. 사위 승돈이, 우리 손주들 주은이, 찬혁이가 곧 도착한 대요. 그 애들이 와서 아픈 모습이라도 할머니 생전의 모습을 봐야 하지 않겠어요?' 하며 기도할 수밖에 없었어요.

맥박은 점점 빨라지고 호흡은 가빠지고 목에 가래는 계속 차오르고 그 아파하는 모습은 차마 눈 뜨고 볼 수 없을 만큼 처절한 장면이었지요.

사랑하는 여보!

당신 괴롭고 아프겠지만 조금만 참아요. 당신이 보고 싶어 하는 아이들을 보아야 할 것 아니에요?

✝

저녁 7시에 승돈이, 주은이, 찬혁이가 병실에 도착하여 할머니의 모습을 보는 순간, 그 애들의 마음은 얼마나 아팠을까?

할머니의 마지막 모습을 지켜보던 우리 식구들, 불안정한 맥박과 호흡이 계속되다가 밤 11시 30분, 당신의 숨 가빴던 맥박이 서서히 멈추어 들어가는 순간, 병실 안에는 적막감이 감돌았지요.

우리 식구들은 '저러다가도 혹시 회복되는 경우도 있다던데?', '기적의 역사는 일어나지 않을까?' 하는 바람도 가져보았지만, 회복의 기미는 조금도 보이지 않았지요.

의료진들의 손놀림이 점점 바빠지며 이리저리 수습하던 중 그토록 아파하던 모습은 조용히 사라지고 생의 마감을 알리는 의사의 마지막 가냘픈 목소리, "2015년 11월 23일 11시 53분 숨을 거두셨습니다"라는 사망선고와 함께 당신은 편안히 잠든 모습으로 우리 곁을 떠나고 말았지요.

하나님! 사랑하는 송 권사, 이 세상에서 고생 많이 했어요. 그러나 세상에서 지내는 동안 하나님의 쓰임 받는 일꾼이 되기 위해서 열심히 신앙생활 해왔어요. 그러니 이제 그곳에서는 아픔과 괴로움 없는 행복한 나날이 되게 해주세요. 편히 쉬게 해주세요.

2015년 11월 23일 월요일
사랑하는 송 권사 마지막 보내면서 못난 남편이

찬송가 479 / 괴로운 인생길 가는 몸이

1. 괴로운 인생길 가는 몸이 평안히 쉴 곳이 아주 없네
   걱정과 고생이 어디는 없으리 돌아갈 내 고향 하늘나라

2. 광야에 찬 바람 불더라도 앞으로 남은 길 멀지 않네
   산 너머 눈보라 세차게 불어도 돌아갈 내 고향 하늘나라

3. 날 구원하신 주 모시옵고 영원한 영광을 누리리라
   그리던 성도들 한자리 만나리 돌아갈 내 고향 하늘나라

당신의 흔적을
더듬으며

하늘나라로 먼저 가신 사랑하는 나의 여보!

오늘은 당신을 하늘나라로 보내고 이틀째 되는 새벽이군요. 이 시간 밖에는 초겨울 비가 처량하게도 주룩주룩 내리고 있네요.

엊그제 하늘나라로 가신 당신! 그곳에서는 아프지 않고 편안하게 잘 지내고 있겠지? 여기에 남은 당신의 남편과 아들딸들, 그리고 손자 손녀 우리 가족 식구들은 당신이 남기고 간 여러 가지 흔적 때문에 많이 힘드네요. 잠도 제대로 자지 못하고 먹는 것도 제대로 먹지 못하고 있어요.

당신의 빈자리를 생각하니 우리 가족 모두가 눈물로 얼룩지네요. 아무리 참으려고 해도 흐르는 눈물은 멈출 수가 없군요.

사랑하는 나의 여보!

당신이 가 있는 그곳에는 비가 안 오겠지? 여기는 초겨울 비가 처량하게 내리고 있소. 평소에 글 쓰는 것을 좋아하는 남편인지라 지금도 이 글을 쓰고 있는 거라 생각하겠지?

어제는 대성교회 신앙의 친구들이 많이 오셨다 가셨지. 당신 보고 싶다고 말이야.

내일은 비가 그쳤으면 좋겠다. 큰일 치르는 날인데 좋은 날씨 주셔야 큰일 치르는 데 불편이 없을 것 아니겠어?

우리 송 권사를 사랑하시는 하나님께서 좋은 날 주실 줄 믿습니다. 아멘!

여보! 글을 더 쓰고 싶어도 시간이 없어서 줄일게요. 다음을 기다려요.

2015년 11월 25일 이른 새벽

삼성병원 장례식장에서 당신의 여보가

주 날개 밑
내가 편안히 쉬네

내 사랑 여보!
지난밤에도 주 날개 밑에서 편안히 잘 쉬었지?

사랑하는 나의 여보!
나 어제 당신의 모습을 마지막으로 보내느라고 많은 일을 했어.

아들딸들, 당신이 늘 아끼고 사랑하던 손자 손녀, 그리고 일가친척 식구들, 당신의 평생에 신앙을 지도해오셨던 목사님과 장로님들, 교회의 많은 성도님들과 함께 세상에서의 마지막 헤어짐의 큰일들을 은혜스럽게 잘 마쳤어요.

여보! 당신은 참 좋겠다. 집이 두 곳에 있으니까! 세상을 떠나 천국으로 이사 가서 안착하게 된 '하늘의 집'과 우리 곁을 떠나 육신의 흔적을 안치해놓은 '추모의 집' 말이야. 그런데 그 추모의 집은 너무나도 좁고 초라하고 보잘것없는 집이거든? 아직은 작은 추모의 집이지만 앞으로 자주 가서 남의 집 못지않게 잘 꾸며놓고 당신 보고 싶을 때마다 자주 찾아갈게.

아 참! 그 추모의 집은 당신이 세상에 태어나서 나에게 시집 오기 전까지 살았던 동네 바로 옆인데, 주소는 경기도 파주시 광탄면 용미리 서현추모공원 105동 603호.

당신! 나 보고 싶으면 이 주소로 가끔 편지라도 보내주시 구려!

어제는 당신 생전에 가장 가까이 지내던 권사님, 집사님들이 무슨 말들을 했는지 알아? 당신, 전화 못 받았지? "송 권사, 반찬 만들고 집안일 가꾸고…… 그 손 놀리고 싶어서 어떻게 견딜까?"라고 말씀하시는데, 괜스레 그 말에 또 한번 울게 되더라고.

여보! 그곳 하늘나라에서도 김치가 필요할까? 혹시, 김치 맛있게 담가서 나에게 택배로 보내주면 안 될까? 요즘 당신의 맛있는 김치를 못 먹으니 밥맛이 통 없어.

일복 많았던 우리 송 권사! 어딜 가나 오나 항상 일거리가 많은 것, 일하기 좋아하는 것, 내가 다 알지.

여보! 하늘나라 식구들에게 음식 맛있게 해서 잘 대접해주시구려!

이 세상에서 일 많이 하면 힘들고 아팠지만 아마 그곳에서는 아무리 일을 많이 해도 아프거나 힘들지 않을 거야. 왜냐고? 그곳 하늘나라에서는 천군천사들과 같이 일을 하는데 뭐가 힘들고 아프겠소?

열심히 일 많이 해서 하늘의 상급 많이 받고 오래오래 편안히 쉼을 얻기를 바랄 뿐이오.

그 언젠가 나도 하늘나라 갈 때까지 기다리고 있어요. 나와 같이 만나서 옛날이야기 오순도순 나누면서 살아갈 날을 기다려요.

✝

나의 사랑 여보!

이제는 우리 애들 칭찬을 조금 해야겠어요. 당신이 낳아준 삼 남매, 그리고 사위 승돈이, 며느리 성욱이, 세 명의 손주들 주은이, 찬혁이, 겸빈이. 아직 애들인 줄만 알았는데 당신 장례 기간에 일하는 것 보고 깜짝 놀랐어.

수많은 조문객들에게 인사에서부터 음식 대접하는 모습을 보니 참 잘하더라.

애비로서, 할애비로서 대견스럽고 흐뭇하고 고마운 마음을 금할 길이 없었지. 많은 사람들이 우리 애들 칭찬 많이 해주시니 감사할 뿐이지.

사랑하는 여보!

당신 내 걱정 많이 하고 하늘나라로 떠나가 버렸지?

'저 양반이 밥은 어떻게 해 먹고, 빨래는 어떻게 해 입을까?'

모든 것이 걱정되었을 터인데…….

그런데 여보! 걱정하지 말아요. 소영이, 혜영이 우리 두 딸. 어쩌면 당신 솜씨를 그대로 본받았을까? 모전여전이라는 말처럼 딸들이 음식 만드는 것을 보면 꼭 당신이 해주던 음식을 먹는 기분이야. 내 입에 딱 맞게 해주니 요즘 음식도 잘 먹고 잘 지내고 있지.

당신 보내놓고 며칠 동안은 우리 식구들 너무 힘들었어. 피곤에 지쳐서 음식도 제대로 먹을 수가 없고, 잠을 자도 피곤이 풀리지 않고…… 지금도 우리 애들 여기저기에서 정신없이 잠을 자고 있어요.

나의 사랑 여보!
이곳 가족 식구들 걱정은 안 해도 되겠어요. 우리 삼 남매의 가족 식구들은 서로서로가 버팀목이 되어 당신이 이 세상에서 못다 한 일, 사랑과 우정으로 똘똘 뭉쳐서 해나가기로, 열심히 살아가기로 굳게 다짐했어요.

2015년 11월 27일 금요일
어제 장례 마치고 04~05시 20분까지

찬송가 419 / 주 날개 밑 내가 편안히 쉬네

1. 주 날개 밑 내가 편안히 쉬네

   밤 깊고 비바람 불어쳐도

   아버지께서 날 지켜주시니 거기서 편안히 쉬리로다

2. 주 날개 밑 나의 피난처 되니

   거기서 쉬기를 원하노라

   세상이 나를 위로치 못하나 거기서 평화를 누리리라

3. 주 날개 밑 참된 기쁨이 있네

   고달픈 세상길 가는 동안

   나 거기 숨어 돌보심을 받고 영원한 안식을 얻으리라

   주 날개 밑 평안하다 그 사랑 끊을 자 뉘뇨

   주 날개 밑 내 쉬는 영혼 영원히 거기서 살리

할머니 추모예배   11.28土 08시

묵 도 ——————— 다 같이

찬 송 ——— 486 ——— "

성 경 ——— 요14:1~3 ——— 주은. 찬혁. 겸빈

본 쏨 ——— 할머니계신곳은? ——— 할아버지

기 도 ——————— "

찬 송 ——— 419 ——— 다 같이

주기도 ——————— "

★ 할머니께서는 천국 가시기전 며칠동안은 고통과
아픔과 근심과 괴로움으로 몸부림치며 신음하시던
모습이 생생이 떠오르는 일들은 지켜 보던 우리 유족들도
참아 볼수 없을 정도로 안타까운 며칠을 지내 왔다.
또한 할머니의 74년동안 생애를 더듬어 보면
6.25전쟁을 가난으로 인하여 지금과 같이 찰악지도 못쳐고
할로를 갖지 못하고 근심과 걱정 속의 살아 오셨다.
할아버지와 결혼해서 47년동안 사는 동안은 그래도 우리
하나님께서 축복하여서 신앙생활 잘하고, 장로와 권사로
충성하며 마음대로 안먹이 부족주셔서 남부럽지 않은
값은 사셨던 분이다. 할머니의 생의 편력은 생애 장례기간
대소화의 온 성도들이 안타까워 하고 마지막 가는 화장터에까지
와서 위로 해주는 모습은 보때에 너무도 값진 한 인물이다.
오늘은 할머니의 분신을 모신 추모공원에가서 10등6호실에 봉하
효라해서 작은 공간이지만 할머니 집은 아름답게 꾸며야 되겠다.
우리 손주들 아들딸들이 할머니의 아픈 사연으라고 안 들리고
천국에서 문화하며 편안한 모습으로 기도 하시는 모습만 떠 오른다.
주은아 찬혁아, 겸빈아, 할머니 많이 사랑해 준거 고맙다.
이후에는 할아버지 많이 사랑해주라, 귀여운 것들.

장례 후, 우리 식구만의 추모예배

당신의
빈자리 1

사랑하는 나의 여보!

당신과 헤어진 후로 나는 불면증이 생기는 것 같아. 아무리 피곤하고 곤해도 깊은 밤에도 두세 시간만 잠을 자면 꼭 깨. 다시 잠을 청해도 좀처럼 잠이 오지를 않으니 무슨 이유일까? 앉으나 서나 당신 생각…… 앉으나 서나 당신 생각…… 때문은 아닐까?

참! 어제는 우리 아홉 식구가 당신이 머물고 있는 서현추모공원에 다녀왔지.

당신의 손때 묻고 구겨지고 낡은 성경 찬송이지만 그곳에서 늘 찬송 부르고 성경 많이 읽으라고 갖다 놓았지.

그리고 사진 두 장, 손자 손녀의 하늘나라의 편지 등 조촐하지만 그런대로 추모관 당신의 작은 집을 꾸미고 왔지. 그렇게라도 해놓으니 마음이 한결 좋더라.

그런데 한 가지 서운한 일이 있었어. 당신이 가끔 가서 맛있게 먹던 우리 동네 한우 고깃집 기억하지?

한우마당에 가서 우리 아홉 식구가 그동안의 지친 몸과 마음
을 달래느라 꽃등심과 안창살을 먹었는데, 맛이 있기는 했지
만 당신이 없는 자리에서 우리끼리만 먹는다는 게 참 미안해서
좀처럼 넘어가지 않더라고.

내 사랑 여보!
그나저나 나는 헤어지는 복이 많은가 봐. 헝가리에서 잠시
귀국했던 사위 승돈이와 손주들 주은이, 찬혁이 할아버지하
고 오래오래 살았으면 좋으련만 승돈이는 회사 일로, 주은이,
찬혁이는 학교 공부 때문에 오늘 밤 비행기를 타고 훌훌 날아
갔어.
아마 이 시간에도 유럽 어느 하늘을 날아가고 있을 텐데, 혹
시 당신한테 안부 전화 안 했어?

그리고 당신 며느리, 겸빈이 엄마가 아버님 겨울에 입으라고
아주 좋은 겨울 점퍼를 사 왔어. 입어보니까 꼭 맞고 푹신푹신
한 게 아주 좋더라.

여보! 미안해. 나만 좋은 점퍼 입어서. 안 그래도 겸빈이 엄마도 서운해하더라. 어머님 계셨으면 같이 사드릴 걸 못 사드리게 됐다고 말이야.

그리고 오늘이 당신 하늘나라에 가고 첫 번째 맞는 주일이야. 승돈이, 주은이, 찬혁이는 헝가리행 비행기 타고 갔으니 오늘 주일예배 참석은 못 하고 대신 아들 인균이와 며느리 성욱이, 손자 겸빈이는 거실에서 자고 있어.

아침에 날 밝으면 소영이, 혜영이, 나, 그리고 아들, 며느리, 손자 여섯 명이 대성교회에 가서 예배드리고 헤어지기로 했거든.

여보! 나 생각 참 잘했지? 함께 예배드리는 것 보면 당신 마음도 기쁠 거야.

그런데 당신 참 욕심쟁이더라. 두 딸과 며느리가 당신 옷장을 열어보니 웬 옷이 그렇게 많아? 평생 입어도 못 입을 그 많은 옷들을 끄집어내 보니 한 트럭은 충분히 나오겠더라고.

많지 않은 봉급 타다 주면 당신 성격대로 철철이 옷을 사다가 장롱에 쌓아두는 맛에 재미있게 살아온 것 같은데…….

툭하면 "여보, 돈 좀 주구려. 옷 사게요" 이러면서 살아온 당신이었는데…….

이제는 그 모든 게 추억거리가 되었으니 말이야.

나한테 애교를 부리거나 옷 사겠다고 손 벌리는 일은 다시는 찾아보려야 찾아볼 수 없는 먼 옛날이야기가 됐으니, 나는 앞으로 어떻게 살란 말이야?

사랑하는 여보!

내 눈에서 눈물이 언제나 마를까? 나의 눈물 좀 마르게 해주구려! 내가 살아 있는 동안에는 눈물과 아픔이 가실 날이 없겠지?

여보! 교회 갈 준비 해야 되겠소. 오늘은 이만 쓰고 다음에 또 쓸게요. 안녕!

2015년 11월 29일 주일 새벽

불 꺼진
우리 집

옛날부터 전해오는 말 중에 "과부의 집에는 깨가 서 말이요, 홀아비의 집에는 이가 서 말"이라는 말이 있다. 이 말의 뜻이 무엇일까? 나는 이 말의 의미를 곰곰이 생각해본다.

사람이 이 세상에 태어나서 성년이 되어 결혼해서 살다가 죽는 것은 정한 이치인데, 남자가 먼저 가야지 여자가 먼저 가면 안 된다는 뜻으로 이런 말이 생겨난 것이 아닐까, 생각해보게 된다.

부부가 한평생 살다가 똑같이 죽으면 얼마나 좋을까? 그렇지만 그렇게 되는 경우는 극히 드문 일이 아닌가?

그렇다면 홀아비의 집은 이가 서 말이라는 말이 왜 나왔을까? 미숙한 내가 나름대로 해석해본다면, 옛날에는 어렵고 가난하게 살던 시대인지라 물도 귀하고, 더운물은 더더욱 넉넉히 쓰고 살지 못해서 목욕도 제대로 못 하고 빨래도 자주 해 입지 못해 늙은이들은 냄새가 나고 급기야 '이'라는 벌레가 몸속에 득실득실했기에 전해 내려온 말이 아닌가 한다. 혹시 내 소견이 맞아도 좋고, 안 맞아도 좋다.

그건 그렇고, 평생 희로애락을 같이해온 사랑하는 당신이 없는 우리 집! 왜 이리 썰렁한지 모르겠군요. 당신 없는 집에서 혼자 잠자고 아침이면 일어나서 밥 한술 떠먹고 회사 갔다가 저녁이면 돌아와 컴컴하고

불 꺼진 집을 열고 드나들어야 하는 내 신세가 처량하군요.

앗! 잠시 '불' 하면 생각나는 시, 내가 늘 즐겨 애창하던 「동방의 등불」. 인도의 시성 타고르(1861-1941)의 시를 잠시 읊어 보아요.

일찍이 아시아의 황금 시기에
빛나는 동쪽의 하나인 조선
그 등불 한번 다시 켜지는 날에
너는 동방의 밝은 빛이 되리라

사랑하는 여보! 불 꺼진 우리 집을 다시 환하게 켜줄 수는 없

을까요? 참으로 불 꺼진 우리 집을 밖에서나 안에서나 볼 때에 쓸쓸하고 적막하여 보기가 좋지 않구려.

타고르의 시에서 "그 등불 한번 다시 켜지는 날에 너는 동방의 밝은 빛이 되리라"라고 한 것처럼 우리 집에도 다시 밝은 빛이 비추인다면 얼마나 좋을까?

불러봐도 불러봐도 대답 없는 나의 임이여!

여보, 오늘은 그만 써야지 안 되겠어요. 오늘은 여기서 안녕! 다음에 또 쓸게요.

2015년 11월 30일

퇴근 후, 빈 방에서

당신의
빈자리 2

내 사랑 여보!

당신을 하늘나라로 보내고 당신의 작은 집 서현추모공원을 이쁘게 꾸며놓느라 지난 일주일간 얼마나 바쁘게 살았는지 알아요?

나의 모든 것 내려놓고 월요일부터 출근해서 회사일로 낮 시간은 피맺힌 설움을 달래고, 저녁에 퇴근해서 집에 오면 당신의 두 딸 소영, 혜영이는 당신의 옷가지며 물건들을 정리하느라 정신이 없더군요.

당신이 있어야 할 곳에 당신이 없는 빈자리는 너무나도 허전하고 쓸쓸하군요. 잠을 자도 피곤이 겹치고, 옷을 입어도 입어도 따뜻한 줄 모르고, 음식은 먹어도 먹어도 배부른 줄 모르니 이게 무슨 병일까요? 아마도 당신이 없는 빈자리 탓이 아닐까?

어떤 때는 옆에 있는 줄 알고 "여보!" 하고 말을 하려고 해도 좀처럼 보이지 않고, 아침에 출근할 때는 "여보! 잘 다녀오세요" 하는 소리가 들리는 것 같은데 내 사랑 여보는 좀처럼 보이지 않더군요.

당신이 살아 있을 때 늘 하던 말이 생각나네요.

"여보! 권사님들 방에 먹을 것 떨어지지 않게 잘 좀 챙겨줘요."

그래서 오늘은 커피 한 상자와 과자 두 봉지를 사다 놨지. 그리고 내일이 12월 첫 주일이거든. 교회 식구들에게 점심때 떡 대접하는 거 있지? 봉사부장 양 권사님에게 부탁했어. 아마 "이 떡은 송재룡 권사님이 대접하는 떡입니다"라고 써 붙여놓겠지?

여보! 당신 궁금하지? 지난 주일에는 당신을 하늘나라에 보내는 거룩한 예식에 수고들 많이 하신 김홍근 목사님, 서중한 목사님, 신미숙 전도사님에게 섭섭하지 않게 인사드렸고 하나님께 감사헌금도 많이 했다. 이만하면 당신의 남편, 당신 없어도 욕먹을 일은 안 한 거야? 그렇지?

　당신, 그곳에서도 지켜봐 줘요. 당신은 비록 이 세상에 없을지라도 아이들과 열심히 살아갈 테니까요. 알았지?

2015년 12월 5일 밤 11시

당신은
거짓말쟁이

　내 사랑 여보!

　당신이 하늘나라 가기 몇 달 전부터 나에게 입버릇처럼 하던 말이 생각나네요? 무슨 말이냐고? 병치레 자주 하고, 병원에 자주 들락날락하는 사람이 오래 산다고 종종 말했었잖아. '그 말이 참 맞는 말이구나' 생각하며 큰 기대 속에 희망을 가지고 살아왔었지? 그런데 당신이 했던 그 말이 틀렸다는 것을 알게 되었네요.

　당신이 나에게 고의적으로 거짓말을 한 것은 아닌데 어쨌든 나로서는 내 곁에 오래 살아주지 못한 것이 못내 안타깝고 원망 아닌 원망으로 생각할 수밖에 없는 현실이 되었군요.

　나를 극진히 사랑하고 나만 보고 살았던 당신! 이제는 지난날의 모든 일들을 추억거리로 남기고 서글프고 외롭지만 하늘 높이 풍선을 날려 보내듯 그렇게 다 날려 보낸 채 살아야겠소. 지난날의 일들을 생각하며 당신과의 삶을 추억해봐야 마음만 아프고 괴로우니 지난 일들을 다 잊고 살아야 되겠소.

참, 여보! 어제는 12월 첫 주일이었어요. 당신 생전에 다니던 우리 대성교회 성도들에게 인절미 떡을 해서 점심시간에 드시게 하고 당신이 늘 드나들던 교회 지하실 권사님들 방에 떡과 커피 한 박스와 과자 두 봉지를 갖다 드렸더니 모두들 송 권사 생각하며 잘들 드셔주셔서 고마웠지요.

당신! 하늘나라에서도 대성교회 생각하며 기도 많이 하겠지? 당신이 늘 베풀고 대접하던 그 모습. 당신이 못 해도 여기에 남은 당신의 남편과 자녀들이 당신의 뒤를 이어 주의 종들과 권사님 방에 먹을 것 떨어지지 않게 책임지고 챙길 테니 그것에 대한 걱정은 안 해도 되겠어요.

내 사랑 여보!
나 요즘 몸이 이상해지는 것 같다. 음식은 별로 맛이 없고, 잠은 잘수록 더욱 피곤하고, 사는 건지 마는 건지 도무지 세상살

이가 무의미하고 재미가 하나도 없으니 말이야. 한마디로 살맛

이 안 난다는 말이야. 그렇다고 안 살 수는 없는 일이고.

2015년 12월 7일 월요일

당신의 못난 남편이

장하다!
내 아들딸들 1

사랑하는 여보!

그동안 편지 자주 못 써서 미안해요.

사랑하던 당신과 헤어진 지 벌써 3주가 다가오고 있군요. 당신이 낳아준 삼 남매가 당신이 없는 동안에도 얼마나 아빠에게 잘해주는지 당신 모르지?

오늘은 애들 칭찬 좀 해야 되겠소. 당신 없는 3주 동안은 두 딸의 지극한 효성에 감격할 때가 한두 번이 아니었어요. 아침저녁 밥상 차리는 것을 보면 조금은 서툴지만 엄마의 솜씨 그대로 내가 잘 먹는 음식을 준비하느라고 신경 많이 쓰는 것 같아요.

그뿐인가요? 아빠가 혹시 마음 약해질까 봐 그러는지 수시로 밤에도 아빠 잠자리 들여다보니, 세심한 배려 속에 아빠는 이제 아이들의 관심거리가 되어버렸군요. 마치 어린아이를 키우듯이 나의 이모저모를 살피는 모습이 옛날과는 다르다니까요.

큰딸 소영이가 이달 말에 헝가리로 출국하기 전에 여러 가지

계획이 너무 많아요. 동생하고 날마다 분주하게 준비하며 어제는 창동 큰이모네 간다고 하길래 당신이 사다 놓았던 소금 네 포대를 혜영이 차에 실어 갖다 드리고, 이모네 딸들과 맛있게 점심을 해서 먹고, 큰이모부가 옛날 당신과 내가 만나서 연애하고 결혼한 얘기를 해주니 울다가 웃다가…… 몇 시간을 회상하며 시간을 보내고 왔다고 해요. 그 덕에 두 딸들의 마음도 조금은 안정이 됐나 봐요.

참, 당신! 생전에 창동 처형과 형님 우리 집에 오시면 가끔 집 근처 설악추어탕 집으로 모시고 가서 추어탕 대접했던 것 생각이 나는지? 그런데 이번에는 형님이 나 먹으라고 추어탕 3~4인분을 사서 애들 편에 보내줘서 저녁에 맛있게 먹었어.

이제는 우리 딸들도 살림을 곧잘 하는 것 같아. 엄마의 손맛 그대로 따라 하는 것을 보면 매사가 엄마의 생각을 꼭 빼닮은 것 같으니 말이야. 남을 대접하려는 생각…… 남에게 베풀고자 하는 생각들……

참, 오늘은 토요일이구나! 나는 회사에서 정기적으로 신체검사하는 날이라 출근을 안 했어. 아침을 굶고 일찍 병원에 가서 신체검사하고 아들딸들 식구들과 가양동 작은이모네 가기로 했어. 소영이가 헝가리로 가기 전에 작은이모 한번 찾아 뵙고, 또 당신 병원에 있을 때와 하늘나라에 갈 때 당신 제부와 조카딸들이 모두 왔었는데 그들에게 인사도 하고, 점심 한 끼라도 대접한다고 말이야.

그리고 얼마 전 당신이 사랑하던 손자 겸빈이가 편도선 감기로 며칠 동안 병원에 입원했다가 퇴원했는데 그놈이 너무 약골이잖아. 그래서 겸빈이에게는 작은고모인 혜영이가 한약을 지어준다고 하더군. 그리고 나에게도 한약 지어줄 테니 잡수시고 건강하게 오래오래 살라고 하더구먼.

참 자식들 대견스럽기도 하지? 이것저것 애들이 하는 것 살펴보면 꼭 당신 습성을 그대로 물려받은 것 같아.

사랑하는 여보!
당신이 나에게, 아니 우리 가정에 남기고 간 것이 하나 있어.

우리 삼 남매 어릴 때 가족사진.
당신도,
어머니도 보고 싶네요

그것이 무엇이냐고? 깜짝 놀랄 거야.

당신이 하늘나라에 간 후, 평소 소원했던 우리 일가친척분들의 마음이 모두 나와 우리 가족에게 집중되는 것 같아. 내가 걱정되고 사는 것이 염려가 되는지 수시로 전화가 오고 애들에게도 아빠 잘 모시라고 신신당부하니 말이야.

사랑하는 나의 여보!

지금은 당신의 사랑을 받을 수는 없지만 삼 남매 우리 아이들의 사랑과 보살핌으로 꿋꿋하게 열심히 거친 파도 헤치며 살아갈 테니 걱정 말고 그곳 생활 잘하고 계시구려!

먼 훗날 당신이 부르시면 나는 그때 당신 곁으로 미련 없이 미련 없이 가오리다. 먼 훗날 먼 훗날⋯⋯.

2015년 12월 12일 토요일 02시

장하다!
내 아들딸들 2

　오늘 새벽에 글을 썼지만 추가로 할 말이 많아서 다시 펜을 들었어요.

　오늘 낮 12시경 방화역 이동석한의원에 가서 내가 먹을 한약과 손자 겸빈이가 먹을 한약을 지으니 월요일에 찾아가라고 하더군요.

　그래서 이왕 나온 김에 가양동 처제 집에 가서 수년간 누워 있는 처제한테 형부하고 조카들 왔다고 하니깐 알아들었는지 오물오물 말을 하는 표정으로 입을 놀리는 것 같더라고. 머리는 새까맣게 돋아나고 그전보다 상태가 매우 호전됐다고 조카들이 좋아하더라고.

　형부인 내가 처제를 위해서 간절히 기도한 후 가양동 식당에 가서 여덟 식구가 한우 고기로 맛있게 점심을 먹고 집에 왔지.

　저녁에 아들네 식구들은 신창동 집으로 돌아가고 나와 큰딸, 막내딸만 남아서 집에서 이야기꽃을 피웠지. 오늘 딸들이 돈 많이 썼지?

요즘 우리 아들딸들을 보면 참 기특해. 친척분들 찾아다니며 인사드리고 식사라도 대접하는 모습을 볼 때 이 애비로서는 흐뭇해서 애들 칭찬을 많이 해주고 있지.

근데 나는 요즘 애들 따라다니느라고 몸이 좀 피곤한 것 같아. 입술은 부르트는 것 같고 몸은 천근만근 되는 것 같으니 말이야.

내일 주일을 잘 지키기 위해서는 오늘은 일찍 잠을 자야만 되겠어요. 그곳에 있는 당신! 피곤한 줄 모르겠지? 오늘은 이만 쓰겠어. 안녕—

2015년 12월 12일 토요일 22시

엄마
닮았네

여보! 오늘은 음력 11월 8일 내 생일이야. 해마다 내 생일을 잊어버리지 않고 꼭 기억했던 당신! 예년 같았으면 내 생일날 아침에 소고기미역국을 맛있게 끓여서 나에게 주었을 당신! 그러나 오늘 아침은 좀 이상하더라. 물론 큰딸이 아침저녁에 미역국을 끓여줘서 먹기는 먹었지만 당신이 끓여주었던 것 같진 않았지! 당신이 살아 있었으면 케이크를 사다 놓고 당신의 간절한 기도 후 맛있게 먹었을 텐데……. 그때의 일들이 아른거리네요.

그 대신 할아버지 생신이라고 멀리 헝가리의 주은이, 찬혁이가 전화해서는 "할아버지 생신 축하드려요!"라고 인사하고, 신창동에 사는 겸빈이도 역시 "할아버지 축하드려요"라고 인사를 하니 마음이 한결 즐거웠지요.

내일 토요일 낮 12시에는 대성교회 목사님들 내외분과 전도사님 등 교회 직원 열다섯 명 정도와 우리 세 식구가 한우마당에서 점심 먹기로 했어요.

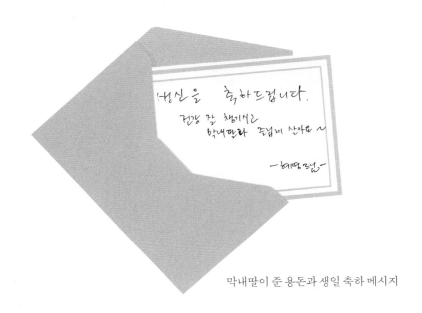

막내딸이 준 용돈과 생일 축하 메시지

　소영이, 혜영이 두 딸이 12월 초부터 목사님께 말씀드렸는
데 여러 가지 사정 때문에 이번 19일 토요일로 약속하고 식당
에 예약을 했지.

　평소 당신은 주의 종들 대접하는 것과 베풀기를 많이 좋아했
지. 그리고 당신은 손이 커서 듬뿍듬뿍 크게 대접하곤 했잖아.
그런데 두 딸이 당신 닮아서 그런지 주의 종들 대접하려고 하
는 것을 볼 때에 정말 대견스러워 보이네요. 우리 두 딸들, 누가
송 권사 딸 아니라고 할까 봐~
　당신이 이 세상 떠나기 전까지 주의 종들 대접하고 싶어서

안타까워했던 것, 여기 남아 있는 가족들이 대접하게 되니 이 애비로서는 고맙고 감사할 뿐이오.

　사랑하는 나의 여보!
　내일 점심 이후에 있었던 일들은 다음에 쓸 테니까 좀 기다려주시구려!

2015년 12월 18일 금요일 21시 30분
당신의 남편이 쓰다

사색과 낭만의 밤,
그러나 블루 크리스마스

1. 담 밑에 귀뚜라미 우는 달밤에
   엄마 잃은 기러기 날아갑니다
   가도 가도 끝없는 넓은 하늘로
   엄마 엄마 부르며 날아갑니다

2. 오동잎 우수수 지는 달밤에
   아내 잃은 기러기 슬피 웁니다
   가도 가도 끝없는 넓은 광야에
   여보 여보 부르며 슬피 웁니다

3. 이곳에 남은 우리 어찌 살라고
   짝을 잃은 기러기 날아갑니다
   당신 혼자 살려고 날아갔나요
   엄마, 여보 부르며 날아갑니다*

* 윤복진의 「기러기」를 바탕으로 재창작함.

2015년도 크리스마스가 돌아왔습니다. 모든 사람들은 "메리 크리스마스! 메리 크리스마스!" 외치며, 만나는 사람들끼리 반갑다고 인사를 합니다.

나에게도 다가와 "메리 크리스마스!" 하고 인사할 때 내 마음은 왜 그런지 모르게 울렁거리며 "No 메리 크리스마스!"라고 답을 해야만 할 것 같더군요.

사랑하는 여보!

당신 없이 맞이하는 크리스마스가 어찌 즐거울 수 있겠어요? 오늘 같은 날은 교회 성도들을 피하고 인사를 받지 않았으면 좋으련만……

2015년 12월 25일 금요일 새벽

성탄 전야에

당신이
없음에

나의 사랑 여보!

어제는 당신과 헤어진 지 어언 한 달 만에 사랑하는 두 딸과 함께 당신이 머물고 있는 용미리 추모공원에 다녀왔어.

당신의 큰딸 소영이가 당신이 누워 있던 병원에서 마지막 한 주간 병간호하느라고 애도 많이 쓰고 고생도 많이 했건만 "소영이 수고한다!" 이 말 한마디 못 하고 끝내 하늘나라로 떠나고 말았잖아.

당신의 장례를 치르고 여기에 남아 있는 아빠와 동생들 뒷바라지하느라고 한 달이라는 시간이 어떻게 지나갔는지 모를 정도로 분주하고 복잡했지.

이제 금년도 며칠 남지 않았는데 큰딸 소영이는 멀리 헝가리에 있는 승돈이, 주은이, 찬혁이가 있는 곳에 가서 그곳 살림도 해야 되니까 그 애도 몹시 바쁘단 말이야.

이제 3일 후에는 헝가리행 비행기를 탈 거야. 큰딸이 한국에 없더라도 아빠와 작은딸 혜영이가 수시로 당신 찾아갈 테니까 너무 외로워하지 말고, 우리들 보고 싶을 때는 언제든지 전화하라고 알았지?

　오늘이 12월 마지막 주일이다. 우리 두 딸과 나, 세 식구가 나란히 앉아서 3부 예배 드리고 김홍근 목사님 찾아가서 큰딸 소영이 무사히 헝가리까지 가게 해달라고 기도 받고 가도록 할 거니까 하늘에 있는 당신은 우리들 걱정 안 해도 된단 말이야. 알았지!

　그런데 여보! 나는 당신 없는 삶 속에 새로운 변화가 생기는 것 같아. 평생 동안 감기 몸살 잔병치레 없이 건강하게 살았는데 툭하면 으스스한 게 팔다리가 쑤시고 얼굴에는 물집이 생기지를 않나, 왜 이렇게 내 꼴이 추잡스러운지 모르겠구먼?
　나를 보는 사람마다 몸 관리, 건강관리 잘하면서 지내라고, 송 권사 있을 때하고는 딴판이라고 하더라고.
　혼자 살면 마음도 약해지고 육체 건강도 약해지니까 마음 굳게 먹고 살아야 된다고 하더라고. 오죽하면 변 장로님이 나에게 "파이팅!"을 외치며 굳게 살라고 신신당부합디다.

그렇지만 당신 없는 나의 삶이 강철인들 무슨 소용이 있겠소? 옆에 내조자가 있어야 건강도, 재미도 이루어지는 것일 텐데…… 할 수 없는 일이지요.

나의 여생은 하나님의 보호하심과 내 사랑 삼 남매의 가족 식구들의 보살핌 속에서 건강하고 활기차게 살아가는 방법밖에 다른 도리가 있겠소?

내 사랑 여보!

여기에 남은 우리 가족 식구들 걱정일랑 마시고 그곳 하늘나라에서 편히 쉬면서 우리를 위해서 기도 많이 해주구려!

오늘은 이만 쓰겠어요. 다음 편지 쓸 때까지 안녕—

2015년 12월 27일 주일 아침에

당신의 못난 남편이 씀

여보!
우리한테 욕도 많이 먹었지?

내 사랑 여보!

지난 두 달 동안 당신을 얼마나 미워
했는지 알아요? 당신이 병원에서 투
병할 때 아무래도 이 세상에 오래 머물
러 있지를 못할 것 같아서 멋지게 찍은
사진을 찾아서 영정사진 준비하려고

어렵게 찾아서 만든,
당신의 영정사진

당신의 네 권의 앨범과 사진첩을 집안 곳곳을 뒤져가며 두 딸
과 내가 얼마나 찾아 헤맸는지 알아?

그런데 아무리 온 집 안을 뒤져봐도 찾을 수가 없어서 결국
포기하고 당신을 막 나무랐지! 혼잣말로 야단도 쳐가면서 말
이야.

다른 사람들에게 물어보니 운명할 때가 되면 남편하고 또는
친구들하고 찍었던 사진을 모두 버린다고 하기에 당신도 나나
친구들과의 정을 떼기 위해서 사진을 버린 줄 알고 더 이상 찾
는 것을 포기했었지.

그래도 다행히 우리 식구들 마음에 썩 들지는 않았지만 사진

한 장이 있어서 그것을 확대해서 당신이 하늘나라 갈 때에 영정사진으로 사용하고, 지금도 당신이 거실에 놓고 사용하던 서랍장을 안방에 들여놓은 다음, 그 위에 당신의 이 사진과 손주들 사진을 진열해놓고 심심하면 그 사진들을 쳐다보며 나날을 보내고 있어요.

그러다가 지난해 연말부터 새해 연휴로 쉬는 중, 어제 토요일에야 비로소 작은방 베란다에서 우리가 그토록 애타게 찾았던 당신의 앨범과 사진 상자를 발견하게 됐어요. 너무 반가운 나머지 하루 종일 밖에도 안 나가고 앨범 네 권과 사진 상자를 보면서 지난날의 추억을 되새겼는데, 그야말로 눈물 반, 웃음 반! 감회 어린 시간이었지요.

마침 막내딸 혜영이가 오후에 들어왔는데, 엄마, 아빠가 같이 찍었던 사진들을 꺼내 보며 자책감에 빠졌었지! 찾을 때까지 끝까지 찾았어야 했는데 엄마가 진작에 갖다 버렸다고 생각하고는 포기를 했으니, 이제 와서 그 마음이 얼마나 아프고 미안했겠어요.

나를 비롯한 우리 식구들 모두 사진 한 장 남기지 않았다고 당신을 무척이나 원망했던 것 미안해요.

　사랑하는 여보!

　내가 어제 앨범을 발견한 그 순간은 마치 구세주를 만난 것처럼 기뻤어요. 온종일 당신 사진들을 보며 잠시나마 위로를 삼았지요. 사진을 보며 막내딸 하는 말이 "엄마, 아빠는 생전에 여행도 참 많이 다니셨구나" 하는데, 하늘나라 간 엄마가 많이 그리운 표정이더라구요.

　어쨌든 영원히 찾지 못할 뻔했던 사진첩을 찾게 되었으니 말로는 형언할 수 없는 희비가 교차되는군요. 이제는 이 사진첩에서 좋은 것 몇 장 골라서 당신의 작은 집 추모공원에 더 멋지게 장식을 하려고 구상하고 있으니 당신 마음도 한결 흐뭇할 것 같네요.

　그러나 아직까지도 의문점들이 많이 남아 있어요. 내가 입던 겨울 조끼 세 벌은 어디다 버렸는지? 교회 갈 때 입으려고 아무리 찾아도 보이지 않으니……. 당신! 버렸으면 버렸다고 하고, 어느 곳에 두었으면 "여기 두었으니 찾아 입으시오!" 하고 말 한마디 해주면 안 될까요?

　내 사랑 여보!

　간단하게 쓰려고 했는데 또 이렇게 길어졌네요. 미안해요.

2016년 1월 3일 주일 오후 집에서

당신과 나
(우리도 이런 때가……)

손만두 만들던
울 엄마

내 사랑 여보!

해마다 이맘때가 되면, 아니 구정을 한 달 정도 앞두고는 "장로님! 퇴근길에 밀가루 3kg짜리 세 봉만 사다 주구려! 만두 만들려고요" 이랬던 당신이었지요.

내가 가끔 퇴근길에 사다 준 밀가루로 반죽을 해서 손수 만두피를 만들고 거기에 만두소를 넣어 이쁘게 만두를 빚은 다음 냉동실에 꽁꽁 얼려두던 모습이 금년 겨울에는 더더욱 유난스럽게 떠오르네요. 당신이 만든 만두는 우리의 아들딸들이, 그리고 내가 그렇게도 잘 먹던 만두가 아니던가요?

요즘은 어디 가서 무엇을 하길래 곱게 만두를 빚던 당신의 모습이 보이질 않는구려. 지금쯤 아마도 하늘나라 식구들을 잘 먹이려고 그곳에서 만두를 만들고 있는 것은 아닐까요? 그래서 그런지 막내딸이 시장에서 사 온 만두로 만둣국을 끓여줘서 잘 먹고 있기는 하지만, 아무래도 당신이 만든 만두 맛은 아니니 별로 맛을 모르겠네요.

옛날부터 우리 집 식구들은 만두를 잘 먹었죠. 내가 이북 사

람이라서 그런지 돌아가신 어머님도 만두를 무척이나 좋아하
셨던 기억이 새삼 떠오르네요. 할머니와 이 아빠를 닮아서 그
런지 우리 삼 남매도 만두라면 자다가도 일어나서 춤을 추며
먹는 만두광들이지요.

그뿐인가요? 인천 사는 당신의 시동생은 또 어떻고요. 형수
가 만든 만두가 이 세상에서 제일 맛있다고 하면서 아주 잘 먹
곤 했잖아요.

이제는 당신이 손수 만든 만두, 형수의 만두, 엄마가 정성껏
만든 만두를 아무리 먹고 싶어도 결코 먹지 못하고 구경도 못
하게 됐네요.

그래서 오늘은 퇴근길에 집 근처 동성아파트 앞 국숫가게에
서 식당 할머니가 만든 만두가 맛있다고 해서 50개짜리 한 봉
을 사 왔는데 내일 아침에 한번 끓여 먹어봐야겠군요.

2016년 1월 5일 화요일 밤에

목포 출장 중에
생긴 일

　당신이 없는 2016년은 새해 벽두부터 을씨년스럽고 날씨조차 고르지를 못하구나!

　첫 주일을 지내고 1월 6일 새벽 4시에 집을 나서서 택시에 몸을 싣고 개화산역에 내려 회사 차로 5시에 목포로 출발한 나는 다섯 시간 만에 목포에 도착, 3일 동안의 업무를 마치고, 8일 저녁은 목포 시내 구경하면서 집에 홀로 있는 막내 혜영이 생일이라 전화로 생일 축하한다고 말해주었지.

　그러고는 숙소에 돌아와 보니 바지 뒷주머니에 넣어두었던 지갑이 통째로 없어졌더라. 지갑 속에는 신분증과 전화번호 수첩, 현금 20만 원이 들어 있었지.

　다음 날인 9일 토요일이 상경하는 날이라 새벽에 택시 타고 목포역에 가서 혹시나 해서 쓰레기통을 뒤지니 나의 지갑은 영영 보이질 않네.

　누군가 신분증을 주우면 우체통에 넣는다는 말은 들었기에 전화번호 수첩은 혹시 역 주변에 버리지 않았을까? 여러 곳을 찾아보았으나 허사였지.

할 수 없이 숙소로 돌아와서 아침에 서울로 출발했는데 토요
일이라 차가 막혀 오후 2시경에 집에 도착했지. 잠시 몸을 풀고
오후 5시 30분에 금년 들어 첫 번째인 장로 모임에 가서 맛있게
저녁을 먹고 왔지.

혜영이가 경로 우대 교통카드를 만들어주어 그것을 가지고

막내 생일에 용돈과
메시지를 담아서……

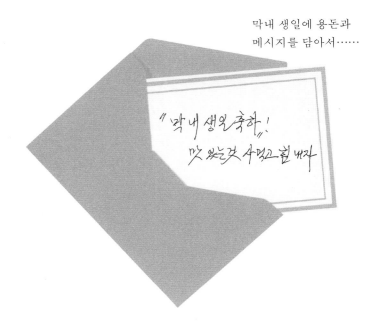

요즘 회사에 출퇴근하는데 목포에서 분실된 신분증은 아직도 내 손에 도착하지 않고 있는 중이야. 좀 더 기다려봐야겠지? 얼마 동안 기다려보다가 끝내 돌아오지 않으면 신분증은 재발급 받아야겠어.

이제는 나도 나이를 먹을 만큼 먹었고 더군다나 당신 없는 삶 속에서 때로는 착각과 건망증을 일으키니 기억력이 상실되는 현실에 직면한 게 아닌가? 의심이 들어요. 그렇게도 맑고 기억력이 좋다던 내 머리가 조금씩 조금씩 무뎌져 가는 것 같구나!

앞으로는 매사에 신중히 정신 똑바로 차리고 살아가겠노라 다짐해보는데, 오늘은 왠지 여러 가지로 당신한테 미안하다고 말하고 싶어요.

2016년 1월 10일 주일에

당신의
빈자리 3

　사람들이 말하는 이야기 가운데 "사별 후에 빈자리가 얼마나 큰지 알아? 그 일을 겪어보지 않은 사람들은 모를 거야" 이런 말을 들어보기는 했지만, 막상 내가 경험을 해보니 당신 없는 빈자리가 이처럼 큰 것인 줄 미처 몰랐어요.

　외롭고 서운한 감정은 이루 말할 것도 없지만 가장 두드러지게 나타나는 것이라고 하면 생전에 당신의 솜씨로 맛있게 해주던 그 음식을 먹지 못하는 크나큰 당신의 빈자리! 막내딸이 해주는 콩나물국, 된장찌개는 그런대로 먹겠는데 김장김치 맛있기로 소문났던 당신의 김치를 못 먹으니 당신 생각이 더더욱 간절해지는구나!

　며느리가 해 온 김치, 교회에서 해주신 김장김치 한 박스, 처형네서 준 김치, 처제네 조카딸들이 해 온 김치들을 다 먹어보았는데, 그중에서도 사돈인 주은이 큰엄마가 해주신 김장김치가 그래도 당신의 솜씨에 90% 가까운 맛이라 제일 즐겨 먹고 있지요.

오늘도 막내딸 혜영이와 아침밥을 먹으면서 말했어요.

"이제부터는 너와 나의 입맛을 바꿔야 되지 않겠니? 아무거나 맛있게 먹을 수 있도록 우리의 입맛을……."

물론 세월이 흘러가면 당신 없는 삶 속에서 서서히 변화가 찾아오겠지? 음식 문화를 비롯해서 모든 생활 습관들에 말이야. 언제까지 당신만을 그리워만 할 수는 없을 테니까요. 우리 스스로가 어려운 인생의 길을 잘 헤쳐나가야만 하겠지요?

하루하루 '당신의 빈자리'를 많이 느끼지만 오늘은 이만 줄일게요.

2016월 1월 13일 수요일

2016년도
추모공원 첫 성묘

지난 며칠 동안은 우리나라의 날씨가 몹시 추웠던 한 주간이었어. 오늘은 1월 16일 토요일이야!

며칠 전부터 앨범에서 찾아놓은 멋진 사진 몇 장 골라서 오전 9시 30분, 당신이 있는 곳에 막내딸 혜영이와 둘이 갔지. 왠지 모르게 썰렁해 보이는, 당신의 분신이 안치되어 있는 추모공원 105동 603호에 가서 관리인에게 유리문을 열어달라고 해서 당신과 내가 찍은 옛날 사진 다섯 장을 멋지게 장식해놓고 보니 그래도 마음이 한결 편안하구먼.

막내딸 혜영이는 스마트폰으로 사진을 찍어 멀리 헝가리에 있는 언니와 형부에게 전송하느라 분주했지!

내 사랑 여보! 당신 없는 이 세상을 어떻게 살아야 할지 앞길이 막막할 때가 있고 그때마다 당신이 그리워지네요. 그러나 어쩔 수 없는 일이지요. 당신은 하늘나라 사람이고 나는 이 세상 사람이기에 다시 볼 수 없는 안타까운 처지가 되었군요.

그저 용기를 내서 열심히 살아갈 수밖에, 다른 도리가 없군요. 간혹 당신 생각이 간절할 때에는 당신의 안식처 추모공원

으로 몇 번이고 몇 번이고 달려가겠어요. 가능하면 매주 토요
일마다 찾아가겠노라 맹세할 뿐이에요.

오늘은 이만······.
더 이상 말을 못하겠어서 여기서 줄일게요.

2016년 1월 16일 토요일

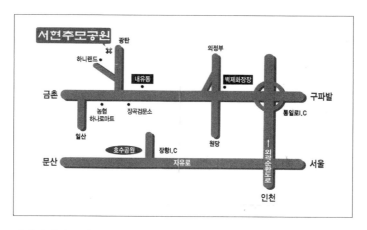

당신에게 가는 길(경기도 파주시 서현추모공원)

엄마의 시집살이,
아빠의 시집살이

사랑하는 나의 딸 혜영아! 얼마나 힘이 들까?

내 딸아! 지난 1년 동안은 엄마의 병 수발 때문에 병원으로 직장으로 쉴 새 없이 수고와 고생을 많이 했던 내 사랑 막내딸. 한 가닥 실오라기의 희망을 갖고 아픈 엄마를 위해서 최선을 다해보았지만 애쓰고 수고한 보람도 없이 너희 엄마는 저 하늘나라로 가버렸구나!

이제 엄마의 시집살이는 끝났지만 또다시 아빠의 시집살이를 해야 하니 얼마나 피곤하고 힘이 들까? 엄마를 대신해서 집안 살림을 도맡아 빨래하고 청소하고 장 봐다가 아침저녁으로 아빠 밥상 차려주고 또 밤이면 직장에 가서 근무하고 새벽에 집에 와서 딱 두 시간 선잠 자다가 새벽 다섯 시에 일어나 출근하는 아빠의 밥상 차려주느라 분주하고 힘들어 하는 내 딸.

그런 내 딸을 바라보면 애처롭고 안쓰러워서 그냥 자라고 해도 자지 않고 새벽에 출근하는 아빠에게 따뜻한 국이라도 대접해서 직장에 보내려고 하는 어린 내 딸의 그 효성을 이 아빠는 모를 리가 없지만, 너도 네 운명이니까 어쩔 수가 없구나.

나를 버리고 먼저 하늘나라로 간 내 사랑 여보! 우리 혜영이가 시집은 안 갔지만 시집살이를 너무도 많이 하고 있군요. 작년 1년 동안은 당신을 천국 보내기 위해서 열심히 시집살이를 하더니 당신 없는 이곳에서는 아빠 때문에 힘든 시집살이를 해야만 하는 막내딸 혜영이가 그저 대견스럽고 또 자랑거리로 생각되네요.

그래도 그 애는 힘든 줄도 모르는 것 같아. 자기가 해주는 음식 먹고 직장 생활 하는 아빠가 의지가 되는 모양이야.

내 사랑 막내딸 혜영아! 이제 너와 나는 공동체의 운명으로서 서로서로 의지하고 살아가야지? 그러지 않으면 어느 누가 우리의 고독한 삶을 알아주겠니?

이 아빠는 너와 더불어 건강이 허락하는 한 너의 힘들고 어려운 생활을 서로서로 나누며 너에게 큰 부담 되지 않게 건강하고 조촐하지만 화목하게 살아갈 것을 약속한다.

사랑한다, 내 딸 혜영아! 네가 생활하다 지쳐서 힘들 때는 아빠 얼굴 한번 쳐다보고 힘과 용기를 갖고 살아가기를 바랄 뿐이다. 이제 너와 나는 떨어질래야 떨어질 수 없는 부녀간의 정으로 서로가 건강하게, 그리고 남부럽지 않게 사는 것을 큰 복으로 생각하며 매사에 신중하고 겸손하게 어떤 역경과 환난이 닥쳐와도 믿음으로 극복하고 그야말로 오순도순 살아가는 작지만 큰 행복이 있는 스위트 홈(복된 가정)이 되도록 하자. 사랑한다, 막내딸 혜영아ー

2016년 1월 20일 수요일

사랑하는 막내딸에게
아빠가

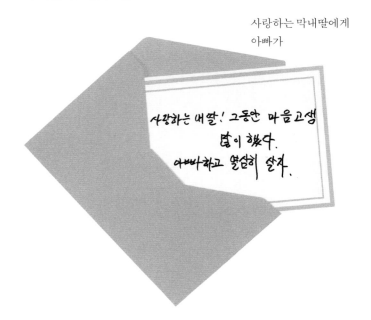

쓸쓸한
토요일

　　작년 12월에 대장 내시경 검사 예약을 하고 예정된 날이 되어 오늘 오전 9시에 송도병원에 갔다.

　　수면으로 내시경 검사를 시작, 약 한 시간 삼십 분 만에 검사가 끝나고 집으로 오다가 죽집에서 전복죽 한 그릇을 맛있게 먹었다.

　　결혼식에 가려고 하다가 날씨도 썰렁하고 몸 컨디션이 안 좋아 온종일 집에서 잠을 자며 책을 보며 주말 오후를 무의미하게 보냈다.

　　때마침 오늘이 송 권사가 하늘나라에 간 지 딱 두 달째 되는 날이기도 해서 쓸쓸한 마음에 앨범을 꺼내서 옛 추억을 더듬어 봤는데 그 많은 사진을 한 장 한 장 감상하며 다 보고 나니 약 두 시간이 걸리더라.

　　1월 하순의 날씨는 매섭고 추위 온몸이 움츠러든다. 그 어느 해 겨울이 제아무리 추웠어도 추운 줄 모르고 살았던 내가 아니었던가? 그러나 올겨울은 나의 추위를 감싸줄 사람이 없어서 이토록 추운 것이겠지.

　이런 때일수록 내 몸은 내가 관리하고 조심하며 감기 걸리지 않게 이 추운 겨울을 무사히 보내야 하는데 그게 어디 맘대로 되는 일인가?
　모든 걱정 주께 맡기고 살아가야지 내 마음대로는 살 수 없는 일이 아니겠는가?

2016년 1월 23일 토요일

외롭고 쓸쓸한
설 명절

올해 설 명절은 왜 이리 썰렁하고 처량하고 외롭고 배가 고
픈지 모르겠네요. 작년 설 때만 해도 당신은 만두 빚고 녹두부
침 만들고 전 부치고 갈비 사다가 재어놓느라고 분주하고 복잡
했었는데…….

그리고 설에는 아들 며느리 손자들이 와서 당신이 만들어놓
은 음식을 맛있게 먹고 손자 세배에 세뱃돈 주던 모습이 아련
히 떠오르는군요.

그러나 당신 없는 올 설에는 아주 쓸쓸하기가 짝이 없네요.

며느리가 설 며칠 전부터 음식 준비해가지고 와서 아버님과
같이 조촐하게나마 명절을 지내자고 했는데 갑자기 손자 겸빈
이가 열이 오르고 목이 아픈 감기에 걸려서 오지 못했어요.

아들 인균이만 준비했던 음식을 가지고 와서 하룻밤 자고 설
날 아침에는 만두와 잡채와 갈비를 맛있게 먹고 집에 갔어요.

혜영이와 나는 길동 형님 댁에 가서 형수와 함께 지난 일들
을 이야기하다가 내친김에 혜영이 차 타고 경기도 광주 어머님
산소에 형님과 함께 다녀왔지요.

오늘따라 날씨는 안 좋지, 도로는 귀경길에 오른 차들로 막히지……. 왕복 여섯 시간 걸려서 집에 와서 저녁 먹고 설 명절인 오늘 하루를 가까스로 마감했네요.

정말 외롭고 쓸쓸한 명절이었네요.

그래도 하나님께 감사.

2016년 2월 8일 월요일 밤에

창동 처형 댁에
다녀와서

어제는 음력 설날이었는데 조촐하고 조용하게 명절 같지 않은 명절을 보냈다.

오늘은 음력 초이튿날이라 대가족이 모이는 창동 처형 댁을 찾았다.

혜영이와 함께 낮 12시경에 도착해서 출가한 딸들과 사위 손자들이 모두 모여 있는 모습을 보니 정말로 사람 사는 동네, 사람 사는 집 같은 느낌이 든다.

손자 여섯 명의 세배를 받고 세뱃돈을 주는 재미에 잠시나마 '사람 사는 맛이 이거구나' 새삼 느껴보기도 했다.

처형과 조카딸들이 정성껏 차린 음식으로 점심을 맛있게 먹고 수십 년 전 옛날이야기로 꽃을 피우다가 오후 3시경 처형 집에서 나왔다.

친손자 겸빈이가 감기로 고생하는 중이라 그 집에 가서 기도해주고 저녁 늦게 집에 돌아오니 반가이 맞이해주는 사람 하나 없는 쓸쓸한 우리 집의 모습.

나의 생활과 다른 사람들의 생활을 비교해보면 희비가 엇갈리지만 이런 현실을 어떻게든 극복해나가야 하는 거겠지? 세월이 약이라고…… 당장은 힘들겠지?

　　그래도 열심히 열심히 살아보자고요.

　　—내가 쓴 글이지만 오늘은 무슨 내용인지 도무지 이해가 안 가.

2016년 2월 9일 화요일

봄은
오는데

금년의 파주에는 유난히도 화사하고 따뜻하고 아늑한 봄이 서서히 우리들 곁으로 다가오고 있구나. 여기저기 들에서는 밭을 갈기 위해서 퇴비를 뿌리고 농사지을 준비를 하는 사람들이 간간이 눈에 띈다.

그러나 나에게는 금년의 파주의 봄이 좋은 건지 나쁜 건지 분간조차 할 수 없고 마음껏 즐거움에 빠질 수 없는 봄이구나!

70여 년 전 이곳에서 태어나서 20여 년 동안 성장하고 나와 결혼해서 약 50년 가까이 정든 부부로 살아오던 그녀가 팔순도 못 채우고 저 멀리 하늘나라로 갔으니 말이다.

사람들은 그렇게들 말하더라. 사람이 태어나서 객지에서 살다가도 죽은 후에라도 고향 땅에 묻히는 것이 아주 큰 복이라고.

사랑하는 당신은 경기도 파주시 조리면 대원리에서 출생해서 70여 년간 이 세상에서 쓴맛, 단맛 다 보다가 죽은 후에는 다시 고향 근처에 안식처를 정하게 됐으니 얼마나 다행이야!

그뿐이 아니란다. 당신이 먼저 그곳에 갔지만 나도 언젠가는
당신 곁으로 간다는 이 크나큰 사실을 당신은 모르실 거야.
부디부디 행복하여라, 내가 갈 때까지.

2016년 3월 15일

당신과 나(어느 해 봄날)

홀아비와
막내딸

엄마 잃은 막내딸 눈물이 마를 순 없어
입술을 깨물고 깨물어도 눈물이 마를 순 없어
아내 잃은 홀아비도 눈물이 마를 순 없어
입술을 깨물고 깨물어도 눈물이 마를 순 없어

엄마 생각 아내 생각 해보아야 눈물뿐인걸
생각 말자 생각 말자 해도 잊을 수 없는 그 생각
그래도 막내는 아빠를 의지하고 살고 있지
그래도 홀아비는 막내를 의지하고 살고 있지

막내는 잠시라도 아빠 곁을 떠나기 싫은가 봐
아빠도 잠시라도 막내 곁을 떠나기 싫은가 봐
아빠는 직장 일로 출장이 잦은데
이 밤에도 막내는 넓은 집에서 홀로 자고 있겠지
허전한 맘 달랠 길 없어 잠도 잠도 설치겠지

아빠도 마찬가지 출장 중 깊은 밤이건만

잠 못 이룰 막내 생각! 세상 떠난 아내 생각!

사랑하는 막내딸아!

이제부턴 엄마 생각 그만하고

아빠만 의지하고 오래오래 살지 않으련?

2016년 3월 30일 수요일 01시에

목포 출장 중 아빠가

사랑하는 처제를 마지막으로 보내면서

언니와 형부를 그렇게도 아끼고 따랐던 송재길 처제야! 병마와 싸우며 아프고 힘들었던 7년이란 기나긴 세월이 역사의 한 페이지로 사라지고 이제는 더 이상 아픔과 괴로움이 없는 하늘나라로 처소를 옮겼구나.

엊그제 5월 2일 밤 10시경, 경선이 아빠의 전화를 받고 깜짝 놀랐다.

"형님! 재길이가 갔어요" 하고 전화가 뚝 끊기고 말았지.

밖에는 비가 처량하게도 쏟아지는데 택시를 타고 달려가 보니 그렇게도 보고 싶었을 형부를 못 본 채로 눈을 감고 숨이 멈추었구나.

미안하다, 나의 처제. 고요한 적막 속에 네 딸들의 가족, 그 식구들의 마음은 얼마나 아플까?

그래도 처제는 먼저 간 언니를 따라서 대성교회에 다니면서 말없이 조용하게 신앙생활을 하며 권사가 되었고, 몸이 아프기 전까지 열심히 신앙생활을 하면서 권사의 도리와 맡겨진 일들

추모글
사랑하던 처제를 마지막 보내면서!

언니와 형부는 그렇게도 아끼고 따랐던 송재길 처제야!
7년이란 기나긴 세월, 병마와 싸우며 아프고 힘들었던
그 모든이 이제는 역사의 한 장면으로 사라지고 이제는
더이상 아픔과 괴로움이 없는 하는 나라로 처소를 옮겼구나?
엊그제 4월 2일 밤 10시경 경설이 아빠의 결화를 받고
깜짝 놀랐다. 형! 재길이가 갔어요. 하고 전화기는
뚝 끊기고 말았지. 밖에는 비가 처량하게도 쏟아지는데
택시를 타고 달려가보니 그렇게도 보고 싶었던 형부를
뜻 본래로 눈을 감고 숨이 멈추었구나. 미안하다 나의 처제
고요한 적막속에 4딸들의 가족식구들의 마음은 얼마나
아플까? 그래도 처제는 멀리 간 언니을 따라서
대성교회에 다니면서 말 없이 조용하게 신앙생활하며
권사가 되어 몸이 아프기 전 자체 열심히 교회 생활을
하면서 권사의 도리와 맡겨진 일들을 잘 해온
착하디 소문 났던 송재길권사가 아니였던가?
더구나 생전에는 남편을 비롯한 가족식구들은 구원코자
눈물어린 기도도 많이 했던 나의 처제. 이제 후로는
육신적으로는 보고 싶어도 볼수 없는 너라 나의 사이가
되었구나. 부디 하는 나라에서 열에 있는 언니와 같이
편히 쉬거라. 나의 처제 송재길 권사야! 너는
하나님의 사랑을 많이 받은 것 같아. 네가 옮을
거둔후 이틀 동안은 비 바람이 불어 와서 조문객들의
불편을 많이 느꼈단다. 이 형부는 장례 끝 만큼은

44

좋은 날씨 달라고 하나님께 기도 많이 했는데
정말로 처제를 사랑 하시는 하나님께서는 소원 나인
장례 날은 언제 강풍과 비가 많이 왔더니? 싫은정도로
화창한 초 여름 날씨에 장례를 무사히 치르게 했었니?
처제! 너는 행복한 사람이였다 너의 죽음을 슬퍼한
교회 목사님들과 수 많은 성도들이 너의 마지막 가는
장례식장에 아니 화장터 가정도 많이 참석 해서
가족 들의 슬픔을 위로 하고 수고를 많이 하셨다다
마지막으로 평생에 언니를 좋아 하고 언니를 따르던
처제는 죽어서도 언니 곁으로 가게 되였으니 얼마나
좋을 거냐? 아까운 처제야! 세상 걱정, 경선이
아빠 걱정, 4 딸들의 가정 걱정 안해도 될거다
처제와 언니, 언니와 처제는 먼저 하늘 나라를
옮겨 갔지만 두검식구들은 늘 가까이서 산 면서
슬플때 만나고 즐거울 때 만나는 친 형제와 같은
마음으로 열심히 산와같터이니 세상 걱정은
하지 않았으면 좋겠다 먼저 하늘 나라에 간
두 송천사는 이곳의 두 가정을 위해서 기도 많이
해 주기를 이 형부는 바랄 뿐이다.

　　　　　2016. 5. 6 쯤 새벽시간
　　　　　여정 장례를 마치고 형부가 쓰다.

　　　　　　　　　45

을 잘해온 착하다고 소문났던 송재길 권사가 아니었던가?

더구나 생전에는 남편을 비롯한 가족 식구들을 구원코자 눈물 어린 기도도 많이 했던 나의 처제.

이제부터 육신적으로는 보고 싶어도 볼 수 없는 너와 나의 사이가 되었구나. 부디 하늘나라에서 옆에 있는 언니와 같이 편히 쉬거라.

나의 처제 송재길 권사야! 너는 하나님의 사랑을 많이 받은 것 같아. 네가 숨을 거둔 후 이틀 동안은 비바람이 불어와서 조문객들이 불편을 많이 느꼈단다. 그래서 이 형부는 장례 마지막 날만큼은 좋은 날씨를 달라고 하나님께 기도 많이 했는데, 정말로 처제를 사랑하는 하나님께서 5월 5일 장례 날에는 언제 강풍과 비가 많이 왔더냐 싶을 정도로 화창한 초여름 날씨를 주셔서 장례를 무사히 치르지 않았니?

처제! 너는 행복한 사람이었다. 너의 죽음을 슬퍼한 교회 목사님들과 수많은 성도들이 너의 마지막 가는 장례식장에, 아니

화장터까지도 많이 참석해서 가족들의 슬픔을 위로해주는 등 수고들을 많이 하셨단다.

　평생에 그토록 언니를 좋아하고 잘 따르던 처제는 죽어서도 언니 곁으로 가게 되었으니 얼마나 좋을까?

　아까운 처제야! 세상 걱정, 경선이 아빠 걱정, 네 딸들의 가정 걱정, 안 해도 될 거다.

　처제와 언니, 언니와 처제는 먼저 하늘나라로 옮겨 갔지만 두 집 식구들은 늘 가까이에서 살면서 슬플 때 만나고 즐거울 때 만나는 친형제와 같은 마음으로 열심히 살아갈 터이니 세상 걱정은 하지 않았으면 좋겠다.

　먼저 하늘나라에 간 두 명의 송 권사는 이곳의 두 가정을 위해서 기도 많이 해주기를 이 형부는 바랄 뿐이다.

　　2016년 5월 6일 금요일 새벽 시간

　　어제 장례를 마치고 형부가 쓰다

울보* 엄마는 따라만 다녀

울보 엄마는 따라만 다녀
언니 따라 삼만 리 따라만 다녀
처녀 시절 청주에도 언니만 따라다녀
결혼해서 공항동에도 언니만 따라다녀

대성교회 권사도 언니 권사 따라다녀
살아생전 60여 년 따라다닌 길이
삼만 리 길 넘도록 언니만 따라다녔네
죽어서 추모공원에도 언니만 따라다녀

105동 603호는 먼저 간 언니 집인데
105동 506호는 울보 엄마 집이잖아

울보 엄마야, 맛있는 것 혼자 먹지 말고
6층의 언니 만나 둘이 같이 먹고 살리

2016년 5월 6일 아침에

늘 사랑했던 형부가

* 울보는 송재길 권사의 별명으로, 어렸을 때 울기를 잘했기에 형부가 지어주
었다.

추모시 – 울보 엄마는 따라만 다녀

추모시　　《울보 엄마는 따라만 다녀》

울보 엄마는　따라만 다녀
　　　　언니 따라 삼만리 따라만 다녀
쳐녀시절 청주에도 언니만 따라다녀
결혼해서 공항동에도 언니만 따라다녀

대성교회 권사도 언니권사 따라다녀
산아 생전 60여년 따라 다닌 길에
삼만리길 넘도록 언니만 따라 다녔네
죽어서 추모 공원에도 언니만 따라다녀

　　　1아동 603 호는 먼저간 언니 집인데
　　　105동 506 호는 울보 엄마 집이잖아

울보 엄마야 맛있는것 혼자 먹지 말고
6층에 언니 만나 둘이 같이 먹고 산다

　　※ 울보는 송재길 권사의 별명으로
　　　어렸을때는 울기를 잘 했기에 형부가
　　　지어준 별명이다.

　　　　　　　2016. 5. 6 금 아침에

　　　　　　는 사랑했던 형부가

　　　　　　　　　　46

5월,
문병기는 무너졌다

　금년 5월은 그 어느 해 5월보다 참고 견디기 힘든 달이었다. 금년 이전에는 해마다 5월이 되면 그렇게도 좋을 수가 없었고 늘 생기가 넘치며 살맛 나지 않았던가?

　그도 그럴 것이 5월은 어린이날, 어버이날, 부부의 날 등 가정적으로 경사가 겹치는 달이고 특히 나에게는 5월의 마지막 날이 사랑했던 송 권사와 결혼한 날이기에 5월을 1년 중 제일 좋은 달로 생각해왔었다.

　작년 5월의 마지막 날, 나의 아내 송 권사와 결혼기념일을 맞아 외식도 하고 약 50년 전 결혼한 우리의 지난날들을 회상하며 즐겁게 지냈던 기억이 새삼 떠오른다.

　그러나 불행하게도 금년에는 결혼 이야기와 사랑 이야기를 할 수 없는 외로움 속에서 5월을 맞이하였던 차, 더더구나 교회에서는 5월 가정의 달을 맞이하여 5주 동안 '가정 시리즈' 설교가 이어졌다.

　첫 주는 '어린이 주일'에 관한, 둘째 주는 '어버이 주일'에 관한, 셋째 주는 '부부'에 관한 설교를 목사님께서 진지하게 하셨다.

다른 모든 성도들은 큰 은혜를 받았겠지만, 나는 주일 낮 예배 시간 동안 마치 가시방석에 앉은 느낌이 들었으니 참으로 견디기 힘든 5월이 아니었던가?

어제 5월 29일은 '드디어 5월의 마지막 주일이구나! 아휴~ 이제는 5월이 끝나는구나!' 하며 안도의 한숨을 내쉬었다. 그런데 오후 예배 시간에 변여식 장로님의 가족이 특송을 하는데 그 시간은 정말로 크나큰 충격과 비애의 시간이 되어 눈물이 앞을 가리고 말았다.

변 장로님네 일곱 식구 대가족이 부른 찬송, 412장 "내 영혼의 그윽히 깊은 데서 맑은 가락이 울려나네~".

그렇다. 맑은 가락이 울려나는 곡이었다. 그렇게 온 가족이 4절까지 찬송을 부르는데 참으려고 했던 눈물이 수건을 적시며 '문병기는 무너졌다', '우리 송 권사는 어데 갔나?' 하는 생각이 밀려왔다.

변 장로님의 짝꿍 이군자 권사와 나의 짝꿍 송재룡 권사! 송재룡과 이군자를 연신 생각해보니, 생각하면 할수록 눈물이 앞을 가려 그칠 줄 모르는구나! 더구나 특송이 끝나고 목사님께서 장로님 가정 식구들을 위해서 간절히 기도를 하시는데, '나는 이게 뭐야?' 은근히 패배자가 된 느낌이 들어 도망치듯 멀리 멀리 달려가고픈 심정이었다.

그러던 차에 예배 끝나고 어느 여집사님이 나에게 "장로님 부러우시죠?" 하니, 안 그래도 마음이 아프던 터에 엎친 데 덮친 격으로 더욱 마음이 아파왔다.

터덜터덜 힘없는 발걸음으로 계단을 내려오다가 '아니지, 너 문 장로야! 오랜만에 모교회에 온 장로님의 오 남매를 보고 가야 될 것 아니야?' 하는 생각이 들어 발걸음을 옮기니 본당 앞에 오 남매가 모여 있다.

연희, 남희, 성희, 윤희, 원경이를 만나서 이런저런 얘기를 나누다 보니 어쩌면 다들 그렇게 대견스럽고 의젓하게 신앙생활을 하는지 참 감사했다.

그들 또한 홀로인 내가 외롭게 보였던지 위로를 해주는데 그 모습도 참 감사했다.

"이군자 권사님! 송재룡 권사 생각에 나 많이 울었어요" 내가 말하니, 권사님을 비롯한 식구들이 다시 한번 나를 토닥거려준다.

나와 같은 처지에 있는 사람들이 5월, 다섯 번의 낮 예배 설교를 어떻게 받아들였을까? 나처럼 많이 외롭고 속상하지 않았을까? 이런 심정을 목사님께 말씀드려볼까? 아니다. 많은 사람들이 은혜 받은 설교에 나의 얕고 연약한 생각은 접어두고 '저 멀리 뵈는 나의 시온성, 오 거룩한 곳 아버지 집'을 바라보며 외로움과 역경을 이겨내며 살아가야 될 것이다.

2016년 5월 30일 월요일

우리 손주들의
여름방학

헝가리에 가서 공부하고 있는 우리 외손주 주은이, 찬혁이. 방학을 맞이하여 6월 20일 귀국한다는 소식을 6월 초부터 듣고 기대 반, 설렘 반으로 고대하며 기다리다 드디어 6월 20일 오후 7시에 큰딸과 손녀, 손자가 긴긴 여름방학을 즐기기 위해서 이곳 외할아버지 집에 도착했다.

그러나 우리 어린것들…… 외할머니가 계셨으면 "우리 주은이, 찬혁이 많이 컸구나? 사랑하는 주은이, 찬혁이. 할머니가 맛있는 것 많이 해줄 테니 먹고 건강하게 크거라" 이런 말씀을 들었을 터인데…….

더 이상 할머니의 목소리를 들을 수 없는 저 아이들의 마음은 말을 안 해서 그렇지 얼마나 아플까?

마음은 아프지만 이모와 외할아버지와 함께 이곳에서 머무는 동안 맛있는 것 많이 먹고 긴긴 여름방학을 즐겁게 지내보자꾸나.

그런데 너희들 귀국한 지 3일이 지난 6월 23일이었지? 목요일 오후 2시, 회사 주차장에서 오른쪽 발이 미끄러지며 삐끗하더니 진통이 오고 걸음을 걸을 수 없을 정도가 되었다.

동료 직원과 같이 정형외과에 가서 엑스레이를 찍어보니 발목뼈에 금이 갔다고 해서 시술하고, 반깁스를 한 채 밤 8시에 집에 도착하였다.

무엇이든 매사가 마음먹은 대로 되지 않는 것이 인생살이이던가? 원래는 23일 저녁 퇴근길에 이발하고, 24일에는 기도원에 가고, 25일에는 남서울 노회 장로회 총회로 흰돌교회에 가려고 계획을 세웠는데, 갑자기 발을 다쳐서 꼼짝 못 하게 되니 모든 계획이 수포로 돌아갔구나.

그도 그럴 것이 치료가 약 한 달 이상 걸린다고 하니 사랑하는 손주들과 놀러 가지도 못하고 외식도 해야 하는데 불편한 몸이 되었으니 나는 어쩌란 말이냐? 지난 주일은 교회도 못 갔다. 집에서 끙끙 앓기만 했지.

주일 3부 예배 후에 우리 남전도 회원들 다섯 명이 문병을 와서 기도해주고 갔지!

오며 가며 사람들이 묻는다.

"어쩌다 발을 다쳐서 고생을 하세요?"

그때마다 내 입에서 서슴없이 나오는 대답은 "사랑하는 아내가 없어서 그런가 봐", "잔소리하는 아내가 없어서 그런 것 같아요".

나의 이런 대답에 사람들은 고개를 끄덕이며, 그 말도 맞다고들 한다.

'나에게 왜 이런 어려움이 닥쳐온 걸까?'

생각하면 할수록 자꾸 한숨이 나오지만 계속 이럴 수는 없지!

앞으로는 매사에 조심하고 오로지 주님만 의지하며 살아가야 되겠구나!

2016년 6월 26일 주일 밤에

올여름과
그해 여름

　올해 여름도 이제 절정에 다다른 것 같구나! 장마가 잠시 주춤거리고 태풍이 한차례 비켜 간 자리에 폭염주의보가 연일 매스컴을 통하여 방송되더니 길가에는 벌써 코스모스와 무궁화 꽃들이 싱그러이 피어 오고 가는 길손들의 마음을 한결 흐뭇하게 만드는구나!

　연일 무더위로 짜증스럽고 견디기 힘든 가운데서도 무언가 해야만 하는 갈망 속에서 한동안 이리 핑계, 저리 핑계 글 쓰는 작업을 잠시 멈추고 게으름 피우던 너! 정신 차리고 하던 일 계속하여라!

　46년 전, 그해 여름 7월은 몹시도 더웠던 기억이 떠오른다. 첫딸을 낳던 해가 7월이었으니까 말이다.

　그때만 해도 대다수의 산모들이 해산할 때 거의가 다 집에서 할머니가 받아주거나 조산원을 불러서 아기를 낳던 시절이었지?

　그러나 우리 큰딸 낳을 때는 북아현동 전일산부인과가 잘한다고 해서 그 병원에 가서 순산하지 않았던가? 정확하게 1970

년 7월 14일 문소영 태어나다.

　이 글을 갑자기 왜 쓰느냐고? 내일이 소영이 생일인데 그해 여름이나 올해 여름이나 덥기는 마찬가지. 소영이 낳고 너희 엄마 부채질하며 땀 흘리며 너에게 모유를 먹이던 그 모습이 이 애비의 머릿속에 아련히 떠오르는구나!

　너희 엄마가 있었으면 이런 너의 옛날이야기를 들려줄 것을…….

2016년 7월 13일 수요일 밤

우리 손주들에게
부탁한다

우리 손주들을 끔찍이도 사랑하셨던 너희들의 할머니! 손주들이라면 두 눈에 넣어도 아프지 않을 정도로 애지중지 키워주셨던 할머니! 할머니의 기도를 먹고 자라온 우리 손주 주은이, 찬혁이, 겸빈이. 이제는 할머니의 기도 소리를 들을 수가 없고 할머니의 크나큰 사랑도 받을 수 없어 안타까운 너희들과 우리 가족 식구들은 서글프고 외로운 마음 금할 길이 없구나.

할머니가 안 계시는 우리 집이지만 홀로 남은 이 할아버지가 너희들을 위해서 기도하고 더 많은 사랑을 쏟아부어야 되지 않겠니?

철부지 너희들은 엄마, 아빠에게 모든 면에서 잘해야 된다. 효도하는 아들딸이 되어야 한다.

금년 여름방학에는 부다페스트에서 너희들 엄마(고모)가 할머니가 안 계시는 이곳에 와서 할아버지께 아낌없이 정성을 쏟는 모습을 볼 수 있었지? 엄마(고모)가 근 한 달 동안 너희들과 이모(고모)와 할아버지를 위해서 수고하는 모습을 하나님께서 다 갚아주실 것이다.

이제 후로는 우리 집 삼 남매의 아홉 식구가 신앙생활 열심히 하고 위로는 하나님께 영광, 아래로는 가족들 간에 화목하며 할아버지의 남은 생애가 건강하고 아프지 않고 만사형통한 축복 속에서 살아가기를 기도하는 너희들이 되거라.

　　끝으로 직장 일로 바빠서 자주 볼 수 없는 내 사위, 주은이 찬혁이 아빠! 속 깊은 마음으로 장인을 위해서 늘 기도하고 물심양면으로 도와주는 그 정성, 너무나도 고맙고 사랑스럽다. 직장 생활에 피곤하고 지칠 때는 주은이, 찬혁이 얼굴 쳐다보며 건강하게 열심히 살아가기를 바란다.

　　오늘은 이만 줄인다. 모두들 안녕!

2016년 7월 20일

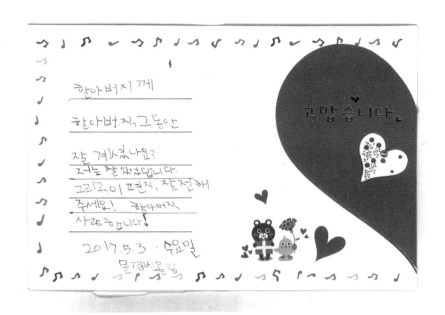

우리 손주 겸빈이의 편지
(당신! 이 편지 잘 받았지요?)

돌아가신 할머니께

할머니, 그동안 잘 계셨는지요. 저는 잘 지내고 있답니다.
할머니 께서서 좋은 곳으로 돌아가신지가 어느덧 반년이 흘렀네요.
할머니 께서는 잘 지내실거라고 생각해요!

할머니, 께서는 좋은곳에 계셨으면 좋겠어요.
저는 지금 너무 좋고, 완벽한 학교, 저희들을 잘 가르쳐서는
선생님이 계세요. 그러고보니, 저는 좋은 선생님을을 타고 난 것같아요!

할머니, 제가 할머니 께서서 돌아가시기 전에 효도를 못해 드려서
죄송합니다. 제가 효도를 많이 했으면 후회가 없었을 텐데요......

할머니, 제가 오늘 운동회를 했는데요, 저는 청군에 속해있고,
3가지의 경기 모두 청군이 이겼어요. 1번째 경기는 1반청군 과 2반청군
끼리 붙는 단어어 줄다리기인데, 1반남자 청군, 여자 청군 모두 이겼고,
1학년 경기도 있었는데, 청군이 이겼고 마지막 이어달리기도
청군이 이겼어요. 그래서 기분이 좋네요, 그럼 안녕히 계세요!

2017. 4. 28   할머니의 멋진 손자 올림

하늘나라에서
첫 번째 생일

음력 7월 5일은 할머니의 생신날이다. 작년 11월, 하늘나라에 가신 후 처음 맞는 생신이기에 8월 5일 토요일 우리 삼 남매의 가족 식구들은 두 대의 승용차로 파주 추모공원에 가서 할머니의 모습을 그려보며 하늘나라로 보내는 편지로 서운한 마음들을 달래보는 시간을 보냈다.

살아 계실 때에 할머니 생신날만 되면 케이크를 사다 놓고 "생일 축하합니다! 생일 축하합니다! 사랑하는 할머니 생일 축하합니다!" 하며 그날을 즐기며 할머니 좋아하시던 한우 고기 식당에 가서 배불리 먹던 생각이 떠오른다.

그러나 이제는 할머니가 안 계시니 생일 축하도 할 수가 없고 맛있는 고기도 못 잡수시는 할머니의 모습이 생각나 마냥 그립기만 하구나!

사람이 이 세상에 왔다가 언젠가는 저세상으로 가는 것이 당연한 원리인데 죽음에 대한 일을 어느 누가 막을쏘냐? 그렇기에 살았을 때에 부모에게 효도하는 것도 자식의 도리가 아니겠느냐?

　그러나 우리 할머니는 불쌍한 할머니가 아니시다. 천수를 누리지 못하고 하늘나라로 가셨지만 고귀한 죽음, 복된 죽음이었음을 우리들 마음속에 깊이 새겨보아야 할 것이다.

　나를 아는 많은 사람들은 송 권사는 복된 죽음을 맞이했다고 말들 하는데, 죽는 것이 어찌 복인가? 허나 성경 말씀에 "주 안에서 죽는 자는 복된 죽음이다"라고 분명히 말해주고 있다. 인간의 생각으로는 죽음이란 슬프고 안타까운 일이지만 성경 말씀대로 복된 죽음으로 위로를 받아야 되겠다.

　사랑하는 나의 가족 자녀들아! 주님의 십자가 든든히 붙잡고 먼저 가신 할머니의 신앙 유산을 본받아서 거친 세상 모진 풍파와 싸울 때에 승리의 면류관을 얻을 때까지 열심히 열심히 살아가는 우리 후손들이 되도록 노력하자.

2016년 8월 6일 토요일
할머니의 추모공원을 다녀와서

벌써 붉은 고추가
나왔구나!

8월 초순께부터 여기저기 넓은 마당에 싱싱한 첫물 붉은 고추 말리는 것들을 보니 또 아내 생각이 안 날 수가 없구나.

수십 년 동안 우리 집도 여름이면 붉은 첫물 고추 사다가 옥상에서 한여름 따가운 햇볕에 말려서 고춧가루를 만들어 김치를 해 먹으니 우리 집 김치가 유별나게 맛있었던 것이었지!

당신과 내가 고추 말리는 여름이 오면 싸움도 많이 했었지. 4층 옥상으로 들어 올리는 것부터 시작해서 옥상 바닥에 널어 놓았던 고추가 갑자기 쏟아지는 소나기에 젖을 것 같으면 얼른 그 무거운 것들을 집으로 끌어 내려 더운 여름에도 보일러 틀고 방바닥에서 말리던 일.

또 어느 해에는 고추 말리다가 태풍과 긴 장마에 몽땅 썩혀서 수십만 원의 손해를 본 적도 있었지!

이렇게 힘들고 어려운 일들을 왜 했을까? 그것은 아마도 태양초 고춧가루로 김치를 담가야 김치 맛이 제대로 된다는 사실을 잘 알고 있었기 때문이지?

주위 사람들이 당신이 해놓은 김치 맛을 보더니 제일 맛있다고 감탄할 정도로 우리 김치를 갖다 자시던 모습들이 몹시도 그리워지는구나!

지금은 태양초 고춧가루를 누가 만들어 저장해놓고 맛있는 반찬을 해 먹을 수 있겠는가?

여기저기에 붉은 고추 말리는 것을 물끄러미 바라보며 생각한다.

'사랑하는 아내가 살아 있으면 우리도 저렇게 붉은 고추를 말리고 있을 텐데…….'

모든 만사가 나에게는 슬픔의 대명사로 전락하는 것은 아닐까? 붉은 고추뿐만 아니라 봄, 여름, 가을, 겨울, 새싹이 나와서 각종 열매를 맺는 것, 봄여름 바다에서 잡아 온 꽃게와 새우젓까지도 당신과 연결이 안 되는 것이 하나도 없는 것 같으니 말이다.

내 성격이 너무 예민한 탓일까? 아니면 사랑하는 사람이 곁에 없어서일까?

어쨌든 워낙에 글쓰기를 좋아하고 잊지 못할 아내 생각에 내 머리는 잠시도 쉴 새 없이 돌아가 그 덕에 졸작이라도 하루하루 글들이 쌓여가니 좋긴 하구나!

아무튼 나는, 서글픈 생각은 점차 줄이고, 잊어야 할 것은 잊어버리고 앞만 보고 열심히 살도록 노력하는 자세가 필요하겠다.

그래도 힘들고 피곤한 여름! 이 여름만이라도 얼른 지나갔으면 좋겠구나.

2016년 8월 8일

초여름
오이지 담그기

해마다 이맘때가 되면 일찍이 공항시장에 가서 시골에서 농사지어 따다 파는 싱싱한 오이 두 접을 사다가 깨끗이 씻어 소금에 절여 오이지를 담갔지요.

그럼 가을, 겨울, 그리고 이듬해 봄까지 먹었고, 7~8월 무더위에는 오이지를 쓱쓱 썰어서 얼음을 띄워주면 밥 한 술을 꿀꺽 맛있게 먹던 나에게 "당신! 오이지도 맛있게 잘 잡수시는군요?" 하던 당신.

해마다 오이지 몇 접을 사다가 담가 먹던 기억이 새삼스러워지는군요.

그러나 작년에는 당신 몸이 아파 오이를 사 오지 못해서 친구 이군자 권사님이 대신 사다 주셔서 아픈 몸으로 오이지를 담가 맛있게 먹었는데, 금년에는 오이지 담가주는 사람이 없어서 먹고 싶던 차에 교회 다른 이 권사님이 오이지 열 개를 주셔서 며칠을 맛있게 먹었지.

그 후로는 오이지 구경도 못 하던 차에 큰딸이 여름방학이라 아이들과 나와서 오이 한 접을 사다가 오이지 담가 지금까지도 맛있게 먹고 있는데, 앞으로 얼마 동안이나 먹을 수 있을지? 아마도 겨울까지는 모자라지 않을까?

큰딸은 제 엄마를 닮아서 그런지 반찬을 이것저것 해놓고 헝가리로 갔는데, 그 덕에 막내 혜영이가 잠시 편하겠지?

언니가 해놓은 반찬을 다 먹으면 또 겨울이 올 터인데 그때는 막내와 내가 또다시 '내일은 무슨 반찬 사다 먹을까?' 걱정을 하겠지?

그런데 시장의 반찬가게에서 이것저것 골라서 사다 먹기는 하지만 내 입에 그렇게 썩 맛있는 반찬은 없는 것 같아. 혜영아! 너도 사다 먹는 반찬이 맛이 없지?

혜영아! 우리 입맛을 바꿀 때가 되지 않았니? 아직도 엄마 손맛 반찬을 잊지 못하고 시장 반찬에 적응 못 하니 어떻게 된 거냐?

너나 나나 이제 반찬 타령 그만하고 어느 누가 주는 반찬이든, 시장에서 사다 먹는 반찬이든 맛있게 감사하게 먹는 습관으로 바꾸어나가야 되지 않겠니?

아빠가 오이지 먹고 싶을 때는 멀리 헝가리에 가 있는 언니를 불러서 오이지를 담가달라고 해야겠다. 이제 우리, 음식 타령 그만하고 너와 나의 삶의 패턴을 바꾸어 현실에 주어진 여건대로 오순도순 조촐하게 살아가자꾸나!

나의 사랑하는 두 딸! 소영, 혜영아 사랑한다.

2016년 8월 10일

수박 한 통도
못 먹었네

수박! 당신과 나는 해마다 초여름부터 가을까지는 수박으로 여름 더위를 달랬지.

수박을 정말 잘 먹는 우리 집이었는데 당신 없는 올여름은 수박 먹기가 매우 어렵구나!

막내 혜영이가 올해 첫 수박이라고 씨 없는 수박을 어디서 사 왔는데 잘라서 먹어보니 씨가 없어서 먹기는 좋았지만 맛이 왜 그리 없는지? 몇 쪽 먹다가 냉장고에 넣어둔 후에 그대로 썩혀버리고 말았지.

그도 그럴 것이 막내하고 두 식구뿐인데 수박을 한 통씩 사다 먹기도 그렇고, 어느 날은 큰 덩어리의 수박을 잘라서 랩에 싸서 파는 수박을 사다가 먹기는 했지만 우리 두 식구가 먹는 수박은 왜 그렇게 맛이 없던지?

야! 할 수 없다. 이후로는 수박을 아예 사 오지 말아라.

어떤 수박이라도 우리 둘이 맛있게 먹을 수 있는 수박은 없을 것 같다.

당신 있을 때나 수박을 맛있게 잘 먹었지, 당신 없는 우리 부녀간에 더 이상 맛있는 수박은 없을 테니 이제 수박 타령은 하지 말아야 되겠다.

수박이여! 안녕.

2016년 8월 25일

여름의
한낮

비 오다 그쳐버린 여름의 한낮

불그스름한 잠자리 떼 머리 위를 맴돌고

산속 고목나무 위에선

매아미 맴맴 즐겁게 우는 소리

머언 옛날 미루나무 우거진

시골길 냇가에 잠자리채 들고

잠자리 잡으러 다니던 그 생각

그물채 들고 냇가 맑은 물에

물고기 잡으러 다니던 여름의 한낮

그리워라 그 옛날 그 옛날이

다시 오지는 않을런가?

2016년 8월 26일에 쓰다

여름의 한낮

비가 그쳐버린 여름의 한낮
　　붉으스런 잠자리떼 머리위를 맴돌고
산속 고목 나무 위에선
　　매아미 맴맴 즐겁게 우는 소리
머언 옛날 미루나무 우거진
시골길 냇가에 잠자리채 들고
　　잠자리 잡으려 다니던 그 생각
그물채 들고 냇가 맑은 물에
물고기 잡으려 다니던 여름의 한낮
그리워라 그 옛날 그 옛날이
다시 오지는 않으려나?

2016. 8. 26
　　문 영기 작　02

자작시 한 편(여름날 팬스레 센티해져서……)

김포 포도가
제일 맛있더라

내 사랑 여보!

포도를 그렇게도 잘 먹더니, 포도 먹고 싶지 않은지 모르겠구먼?

매년 여름철이면 포도를 한 열 상자씩 맛있게 먹던 포도 대장, 나의 사랑 나의 아내여!

조금 일찍 나오는 안양 포도, 상주 포도, 대부도 포도를 사다 주면 맛이 없다고 포도즙 담가 먹던 생각……

맛없는 포도는 이렇게 포도즙으로 소비하고 김포 포도가 조금 늦게 나오지만 맛은 아주 좋아 가끔 김포시장에서 두 상자씩 사다 주면 며칠 못 가서 다 먹어버렸지.

그러면 나는 아내 생각에 또 사다 주고 또 사다 주고, 김포 포도가 다 들어갈 때까지 열심히 포도를 사다 대접했는데……

지금 생각하니 당신이 포도를 잘 먹던 이유를 알겠어.

평소 앓고 있던 지병으로 인해 피가 많이 부족했던 당신! 맛있는 포도로 피를 대신하고 갈증을 해소하기 위해서 잘 먹었던 것이구먼.

올여름도 김포 포도축제가 열리고 김포 가게마다 포도를 많이 놓고 팔지만 한 상자도 사다 먹지를 못했어. 나도 포도를 잘 먹기는 하지만, 아내 없는 자리에서 나 혼자 포도가 먹히겠느냐 말이야. 가끔 혜영이가 몇 송이씩 사 와서 둘이서 먹긴 하지만 포도가 무슨 맛인지?

당신이 그렇게도 좋아했던 김포 포도! 나에게는 이제 옛 추억거리로 남겠지.
김포 포도여, 안녕!

2016년 9월 3일

며느리의
추석상 차리기

우리 며느리! 아니, 이제는 우리가 아닌 내 며느리!

어머님이 돌아가신 후, 내 며느리는 후회가 막심했던 것 같아. 왜냐구요? 그 이유는 어머님 살아 계실 때 따뜻한 밥 한 끼 해드리지 못해서 한이 된다는군.

살아 건강하실 때에는 추석이고 설날이고 아들과 며느리, 손자가 오면 어머님이 준비하신 음식을 맛있게 먹고 설거지만 하고 가곤 했는데, 어머님 돌아가시기 몇 달 전부터는 아예 식사를 못 하시니까 손수 음식을 해드리고 싶었지만 해드릴 수 없었기에 늘 마음에 걸려 탄식만 했던 며느리의 애타는 심정을 이 애비는 다 이해하고 있단다.

그러나 올 추석은, 추석 며칠 전부터 시누이 혜영이한테 전화해서 "아가씨! 추석 명절 준비 안 해도 돼요. 내가 전부 준비해 갈 거니까 걱정 말아요" 했지.

그러더니 추석 전날 집에 와서 시누이, 올케가 잡채와 갈비, 토란국에 각종 나물과 전까지 만들어서 참으로 오랜만에 진수성찬으로 맛있게 먹고, 그러고도 음식이 많이 남아 며칠 동안

포식을 했지?

　이전에는 내 며느리가 음식 솜씨가 없어서 안 하는 줄 알았는데 이번 추석에 음식을 맛보니 과연 시어머니 음식 솜씨와 비슷해. 내가 얼마나 잘 먹었겠어? 먹으면서도 며느리 칭찬 많이 했지!

　며늘애야! 그동안 미안했다. 다음에도 맛있는 것 많이 해다오. 안녕!

2016년 9월 20일

우리 집의
월동 준비

　우리 집은 지난 수십 년간 해마다 10월이 되면 겨울나기를 위한 준비를 몇 가지 해왔다.

　먼저는 추수한 햅쌀을 서너 가마 사다 놓고, 옛날에는 연탄 보일러를 사용하던 시절이라 연탄도 약 2천 장을 들여놓고, 김장철이 되면 배추 150~200포기 정도 사다가 김장을 해놓으면 겨울 준비는 끝나는 것이다. 눈이 오든, 얼음이 얼든, 먹을 것과 땔 것 모두 준비해놓았으니 겨울 추위 걱정 없이 지낼 수가 있게 된다.

　그럼 이쯤에서 김장 이야기를 해볼까?

　맛있는 김장을 하려면 양념이 맛있어야 한다. 태양초 고춧가루와 강화도에서 사 온 육젓 새우젓을 준비, 좋은 무를 쓱쓱 채 썰어 속을 버무리고 소금에 절인 배추에 속을 넣어 맛있는 김장을 담근다.

　나의 아내는 손이 크고 반찬 맛있게 한다고 소문이 나서 김장하기 전날은 내가 돼지고기 20여 근을 사다가 푹 삶아놓는다.

그러면 김장하는 날에는 온 동네 사람들이 다 모이는데, 보쌈에 김치 속을 싸서 그렇게도 맛있게 잡수시던 아내의 친구분들, 그리고 이웃 아주머니들.

그러나 아내가 세상을 떠난 이후로는 그들의 발길이 뚝 끊어지고 우리 집을 왕래하지 않으니 적막하고 쓸쓸하기 그지없어라.

아내가 없는 우리 집의 월동 준비는 이미 지나간 옛말이 되었구나! 배추를 산들 무슨 소용이 있으며, 쌀 몇 가마니가 무슨 필요가 있느냐?

10kg짜리 쌀을 사다 놓은 지가 몇 달이 지나도 그대로 있으니, 이게 어디 사람 사는 집이라고 할 수 있겠는가?

올겨울에는 외국에 가 있는 큰딸이 며칠 뒤 귀국해서 아빠와 동생이 먹을 김장을 해준다니 올겨울은 김치 걱정 안 해도 될 것 같구나. 어디 한번 기대해보자.

큰딸, 작은딸, 아들네 식구들아! 아빠 걱정 너무 하지 않아도 된다.

이 아빠는 너희들 기대에는 못 미치더라도 글 쓰는 취미와 사색과 낭만 속에서 슬픔과 모든 괴로움 다 떨치고 열심히 아름답게 살고자 노력한단다.

2016년 10월 16일

애비라도
있으니까

내 사랑 막내딸 혜영아!

네 엄마가 생전에 너와 언니, 오빠 삼 남매를 키우면서 그 어느 자식보다도 막내인 너를 애지중지 키웠던 것, 유독 너를 많이 사랑했던 옛날 일들을 너는 알고 있는지?

언니와 오빠는 각각 결혼해서 제각기 흩어져서 제 식구들과 오순도순 살고 있지만 우리 막내 혜영이는 직장 생활 하며 엄마, 아빠와 세 식구가 오순도순 남부럽지 않게 살아왔지!

네 엄마 병들기 전에는 그런대로 재미있게 살았는데, 네 엄마 병이 난 후에는 엄마의 병 수발을 도맡아 해왔던 사랑하는 내 딸!

그 바쁜 직장 생활 중에도 한 달에도 수없이 병원에 입원하고 퇴원하기를 밥 먹듯이 하면서 정성껏 병 수발을 했지. 그래도 힘든 내색 하나 없이 오로지 엄마의 병이 나아서 건강하게 살기만을 바라고 원했던 애처로운 나의 막내 혜영아! 그 꿈이 이루어져 엄마가 살았으면 얼마나 좋았을까?

그러나 그 꿈과 소망은 수포로 돌아가고 여기에 삼 남매의

사랑하는 당신과 막내딸
(여고생이 훌쩍 커서 이젠 애비를 돌보네요)

식구들만 남겨놓고 자기가 가고 싶었던 그리운 하늘나라로 떠나버린 그 야속한 너희들 엄마. 이 세상에서는 다시 볼 수 없는 사랑했던 너희들 엄마.

언니, 오빠 대신 늘 엄마 곁에서 하루하루 병세가 악화되어가는 모습을 지켜보아야 했던 막내딸이기에, 겉으로 내색은 안 했지만 얼마나 마음이 아팠을까? 그래도 우리 혜영이, '이 애비라도 있으니까!' 극복하기 어려운 상황이지만 조촐한 삶이라도 이어가고 있구나! 만약을 가정해서 이 애비라도 없다고 하면, 네가 얼마나 외롭게 살아갈까? 때로는 못난 애비이지만 옆에서 기둥같이 버티고 있으니 그리 외롭지는 않겠지?

이 애비도 마찬가지. 막내딸이 곁에 있어주니 직장 생활도 할 수 있고 맛있게 해주는 음식을 먹으며 건강을 유지하며 살아가고 있으니 얼마나 감사한 일이냐? 만약에 너마저 언니, 오빠처럼 가정을 이루고 산다면 이 애비는 밥도 제대로 못 챙겨먹고 직장 생활도 할 수 없는 실업자의 신세가 될 뿐 아니라 건강하게 사는 것도 어려울 것이다.

혜영아! 너는 '이 애비라도 있으니까' 걱정하지 말고 살아가야 되지 않겠니? 나 역시 막내딸이라도 같이 살고 있으니 얼마나 행복한지 모른다.

행복이란 따로 있는 것이 아니고 누가 주는 것도 아니란다. 현실의 삶에 만족하고 긍정적으로 서로서로 의지할 수 있는 대상이 있다는 것이 얼마나 행복한 일이냐?

너는 나의 동반자, 나는 너의 동반자! 아빠의 건강과 너의 건강과 너의 꿈이 이루어지는 그날까지, '이 애비라도 있으니까' 행복한 줄 알아라. 힘을 내서 남부럽지 않은 삶을 오래오래 이어가자꾸나.

'이 애비라도 있으니까.'

2016년 10월 24일

목포 출장 중, 밤 12시에

나의 아내 송재룡 권사
1주기 추모제 준비

작년 2015년 11월에 세상을 떠난 나의 사랑했던 아내 송 권사가 소천한 지 1년이 다가오니 나름대로 1주기 추모제를 어떻게 해야 할까? 여러 가지로 구상해본다.

여보! 당신이 없는 2016년……. 내가 억지로 억지로 슬픔을 달래가며 하루하루 살아왔는데 당신이 하늘나라로 간 지 1년이 되었군요.

시편 119편 71절에 "고난당한 것이 내게 유익이라 이로 말미암아 내가 주의 율례들을 배우게 되었나이다"라고 했지요.

작년 11월 말까지 당신의 장례 모든 절차를 마치고 12월부터 2016년 상반기까지는 정말로 사는 것이 사는 것 같지 않아 앞이 보이지 않는 설움 속에서 억지로 살아왔지요. 내가 살아 있으나 산 것이 아니요, 몸뚱이와 껍데기만 왔다 갔다 하는 것 같은 그런 삶을 살아왔었지.

다행히도 흔히들 말하는 우울증은 오지 않았지만 모든 어려움을 하나님께 맡기고 억지로 억지로 버티며 살아왔기에 오늘

날 이만한 건강을 유지하고 있는 것이지요.

밤마다 잠이 안 오면 성경을 몇십 장씩 읽고, 보잘것없지만 명상 속에서 글을 쓰다가 피곤하면 쪽잠 자기를 수없이 반복하는 삶을 살아왔지만 지금까지 내가 산 것은 모두 다 하나님의 은혜이고 아이들의 염려와 정성으로 이어지는 것이 아닌가 싶군요.

내가 마음먹은 계획은, 당신의 1주기 추모제까지만 글을 써서 〈나의 아내 송재룡 이야기〉를 산문집으로 출판하는 것이에요.

너무나도 졸작이라 세상에 책으로 내놓는다는 것이 부끄럽지나 않을지 걱정이 앞서는데, 사랑하는 여보! 어느 날은 아빠가 쓴 글을 읽어보던 막내딸이 눈물을 흘리며 "아빠는 참⋯⋯ 눈물 나게 글도 잘 쓰셔~" 하고는 슬그머니 아빠 방을 빠져나가더군요.

아빠도 글쓰기를 좋아하고, 우리 막내딸도 이미 글 쓰는 일을 하고 있고. 그 애비에 그 딸이로구나!

그리운 당신, 보고 싶은 여보

그나저나 우리 두 식구의 삶을 어느 누가 알아줄까?

엄마 잃은 아픔, 아내 잃은 아픔. 아픔 중 이렇게 크나큰 아픔이 어디 있을까? 이제 이후로는 소천 1년이 지나가니 모든 아픔과 불행을 잊어버리고 행복한 삶으로 바꾸어야 할 때도 될 것 같은데……

2016년 11월 11일

사랑하는 큰딸
소영이에게

큰딸 소영아!

멀리서 아빠와 동생들 걱정을 많이 하고 있을 줄 안다. 엄마가 아프지 않고 건강할 때는 1년에 한 번 정도 친정에 와서 엄마랑 오순도순 시간 가는 줄 모르고 얘기하던 옛날 모습이 아련히 떠오르는구나.

출국할 때는 마른반찬과 김, 심지어 고춧가루까지도 랩에 싸서 여행 가방에 챙겨주던 엄마의 모습을 이제는 보고 싶어도 볼 수 없는 현실이 되었구나!

작년, 그러니까 2015년에는 엄마의 병세가 점점 악화되어 무려 네다섯 번씩 먼 나라에서 고향 친정집에 와서 엄마 병 수발과 아빠 뒷바라지 하느라고 힘들게 지내던 내 딸 소영아! 고맙고 대견스럽구나!

엄마가 세상 떠난 후, 먼 나라에서도 이곳에 있는 아빠가 걱정되어 늘 전화하고 동생들에게 아빠 잘해드리라고 부탁하며 살아가는 내 딸. 아빠는 엄마 없는 설움 속에서 살아가고 있지만 너희들의 염려 덕분에 너희들만 바라보며 하루하루를 건강하게 지내고 있단다.

금년 여름에는 아이들의 방학을 맞이하여 친정에 왔지만 있어야 할 엄마가 안 계시니 마음 한구석이 매우 허전했지? 그래도 아빠와 동생들과 일가친척 식구들과의 만남 속에서 얼마 동안 즐겁게 지내다가 헝가리로 출국했으니 이것도 나쁘지는 않지?

헝가리에 있는 가족 곁으로 돌아간 지 3개월 만에 다시 친정 집에 온다고 하니 아빠로서는 고맙고 반가운 마음을 금할 길이 없구나! 친정에 왔을 때 엄마가 있었다면 너의 고민과 하고 싶은 이야기를 장황하게 쏟아놓을 터인데 그렇게 할 수 없으니 안타까운 심정 이루 말할 수 없구나. 그렇다고 해서 아빠에게 다 말할 수는 없는 형편이구…… 그럴 때는 동생 혜영이와 상의해서 문제 되는 일들을 처리해나가기를 부탁한다.

아빠는 너희 삼 남매의 가족 식구들이 건강하게 살며 주의 일에 더욱 힘쓰는 자들이 되어 하나님께 사랑받고 이웃들에게 칭찬 들으며 엄마가 못다 이룬 일들, 여기 남은 너희들이 대신 이뤄주기를 간절히 바랄 뿐이다.

특히 큰딸 소영아! 너의 건강은 네가 알아서 지켜야 할 것이다. 한 남편의 아내로서, 두 아이들의 엄마로서 책임이 얼마나 무거운지를 인식하며 건강하게 살아야 되지 않겠니?

너도 알다시피 혜영이는 아빠가 있으니까 외롭지 않고 든든한 것 같더구나.

아빠도 마찬가지야! 막내 혜영이가 곁에서 잘해주니까 건강하게 지내며 직장 생활도 계속할 수가 있는 거란다.

사랑하는 나의 두 딸과 아들네 식구들 덕분에 이 못난 아빠는 오늘도 직장 생활을 충실히 하며 교회에서도 칭찬 들으며 살아가니 내 마음도 한결 흐뭇하고 살맛 나는 것 같구나!

큰딸 소영아! 이제 며칠 후에 집에 온다니 만나는 그 시간까지 손꼽아 기다리겠다.

2016년 11월 15일

나의 아내 송재롱 권사
1주기 추모제

당신이 나와 우리 아이들과 헤어진 지도 어느새 1년이 되었구나! 지난 1년 동안 나의 삶을 돌이켜보면 너무나도 바쁜 한 해였던 것 같아. 교회 생활과 가정생활, 그리고 직장 생활에 눈 코 뜰 새 없이 동분서주하며 하루하루를 지내온 것이 벌써 1년이란 세월이 흘러갔구나!

가을에 접어들면서 당신 소천 1주기를 그냥 보내기가 너무도 아쉬워서 아이들과 의논해보았지! 아이들도 역시 내 마음과 같아서 가까운 가족 친척 식구들과 교회 목사님들을 모시고 추도예배를 드리기로 생각을 모았지!

다행히 멀리 외국 헝가리에 사는 큰딸도 11월 18일부터 11월 28일까지 10여 일의 일정을 마련해서 귀국하게 되어 11월 22일 화요일 오후 4시 30분에 우리 집에서 목사님 내외분과 부목사님들, 여전도사님, 목장 김호숙 집사님, 박종민 권사님, 그리고 창동 강 장로님, 당신 언니 송 권사 등 열다섯 명 정도 모여서 추도예배를 은혜스럽게 드렸지요.

예배 후에는 당신 생전에 잘 가던 한우마당 고깃집에 가서 맛있게 먹고 헤어졌지.

이후 나는 11월 23일 새벽에 목포에 출장 와서 근무하며 11월 27일 주일도 이곳 목포에서 예배드리고 11월 28일 출국하는 큰딸 배웅도 못 했어.

작은딸 혜영이도 직장 출근 관계로 언니를 인천공항으로 배웅 못 해주니 혼자 쓸쓸히 돌아갔을 거야.

그전 같았으면 애들 왔다 갔다 할 때는 내가 매번 인천공항까지 사랑스러운 손자, 손녀, 큰딸을 배웅하며 섭섭하지만 즐거운 마음으로 헤어지곤 했는데, 이번에는 내가 멀리 출장 중이라 배웅하지 못해 나의 마음도 썩 좋지는 못했네! 어쩔 수 없는 사정이기에…….

아마도 이 시간쯤이면 유럽 어느 나라 상공을 날아갈 것 같은데 몇 시간 후에는 주은이 아빠와 아이들과 만나게 되겠지. 사람 사는 것이 다 이런 것들이 아니겠어?

참, 우리 큰딸! 이번에 짧은 기간 친정집에 와서 일 많이 하고 갔다. 여름방학 때 와서 담가놓았던 오이지 씻어서 쓱쓱 썰어서 양념하고, 또 아빠와 동생 겨우내 먹으라고 절임배추 20kg 사서 김장해놓고. 나 없는 동안이지만 제 동생하고 손발이 맞아 장 봐다가 맛있는 것 많이 해놓고 갔지!

막내 혜영이는 제 언니만 오면 신이 났어! 힘든 일은 언니한테 미루고 며칠 동안이라도 편안하게 지내려고만 하니까 말이지!

이제 금년도 오늘 내일 지나면 12월 한 달밖에 남지 않는데 남은 한 달 동안이라도 2016년도를 보람되게! 유종의 미를 거두며 살아야 되겠어!

아무튼 우리 두 딸! 엄마 1주기 추도식에 수고들 많이 했다. 사랑한다. 고맙다.

2016년 11월 29일 새벽 2시
잠 못 이루는 이 밤도 목포에서

156

언니는
또 가야만 하니?

나는 근래에 와서 욕심이 너무 많아진 것 같아. 예전에는 안 그랬는데, 사랑하던 아내가 있을 때는 안 그랬는데…… 왜 이리 나는 욕심이 많아졌을까? 물론 옆에 사랑하던 사람이 없으니까 그렇겠지?

사람이 북적이고 대화를 나눌 대상이 있어야 하는데 그렇지 못한 나의 처지이기에 사람에 대한 욕심, 말할 사람을 찾는 욕심이 생기는 것이지.

멀리 외국에 거주하는 큰딸이 집에 오면 말동무가 돼주고 막내 혜영이가 하지 못하는 맛있는 반찬도 해주니 큰딸이 오면 보내고 싶지 않은 것이지.

이 애비 맘 같으면 그냥 두 딸과 같이 살고 싶은 욕심이지만 큰딸은 또 가야만 하는 이유가 뚜렷하지? 남편과 아들딸 뒷바라지를 해야 하니까.

내 욕심 같아선 큰딸을 외국으로 보내지 않고 이곳 한국에서 같이 살고 싶은 심정이 굴뚝같구나! 돈이 뭔지? 자식들의 교육이 그리 중한지? 그렇지만 당장 한국으로 귀국할 수 없는 큰딸, 사위, 손자들. 그들 역시 나를 사랑하고 같이 살고 싶은 마음은 나와 같을 것이라 생각한다.

나의 큰딸아! 너도 대단하다. 그 먼 나라에서 바쁜 생활이지만 1년에 두 번 정도 이 애비를 위해 귀국해서 애비 뒷바라지를 해주는 나의 살림 밑천 큰딸 소영아, 고맙고 또 고맙다.

아무쪼록 네 몸 건강도 잘 챙기고 생활이 바쁘고 힘들지라도 먹는 것 잘 먹고 너희 식구들 잘 챙기고 교회에서도 맡은 일에 충성을 다하는 승돈이, 주은이, 찬혁이가 되길! 다들 건강하게 살기를 이곳 애비는 기도할 뿐이다.

엄마 1주기로 11월 18일에 왔다가 아빠를 며칠 보지도 못했는데, 아빠는 지방 출장 관계로 11월 28일에 네가 출국하는 것도 못 봐, 너 혼자 인천공항으로 갔을 걸 생각하니 많이 울적했단다. 아쉽지만 2017년 여름방학에 다시 만날 것을 기대하면서……

2016년 11월 30일
목포 출장 중에 아빠가 쓰다

또 한 해가
저물어가는구나!

　해마다 연말이나 연초가 되면 '내년에는, 아니 올해에는 주님의 뜻대로 살아야지!', '아니, 주님의 영광만을 위해서 살아야지!' 이렇게 다짐하고 또 다짐하며 하나님과 굳은 약속을 해 보지만 열두 달이 지난 금년에도 하나님과의 약속은 반도 못 지키고 허송세월만 보냈으니 죄인 중에 이보다 큰 죄인이 어디 있으랴?

　물론 여러 가지 이유가 있겠지만 그중에 가장 큰 이유는 배우자와의 사별로 인해서 주님을 먼저 생각하기보다는 나를 먼저 생각하고, 자녀들 생각과 직장 생활이 최우선이 아니었던가?

　배우자의 빈자리를 채우기 위해서, 혹은 배우자가 없는 삶의 비애를 달래기 위해서 지난 1년 동안 주님을 멀리 떠난 탕자와 같은 삶을 살아온 이 죄인을 용서하여주옵소서!

　그러나 나의 1년 동안의 삶을 돌아보면 너무나도 바삐 살아왔던 한 해가 아니었던가? 하나님 말씀을 열심히 읽고, 글을 수십 편씩 쓰고, 가정에서 또는 교회에서 눈코 뜰 새 없이 살았고, 또 직장에서는 한 달에 두 주간씩 지방 출장 일로 정신없이 바쁜 생활이 아니었던가?

정말로 나의 몸과 마음은 환경의 변화로 말미암아 좀처럼 심신을 편히 쉬게 할 겨를도 없이 지내온 2016년 한 해로 꼽을 수 있겠다.

동방의 태양아! 이른 새벽 불그스레 떠올라 일몰에 서산 너머로 저물어가기를 365일 묵묵히……너는 너의 할 일을 다 하고 있구나! 어느 누가 무슨 말을 해도 매일매일 동쪽에서 떠서 서쪽으로 저물어가는 저 태양을 우리 인간들도 본받아야 할 것 같다.

또다시 한 해를 맞이해야 하는데 정말로 나에게는 2017년도 가 너무나도 중요한 해로, 몸이 열 개라도 감당하기 어려울 정도로 바쁘디바쁜 1년이 돌아올 터인데 주님과의 약속을 바쁘다는 핑계로 얼마나 지킬지? 무능하고 불충한 이 종을 불쌍히 여기시고 용서해주옵소서!

　희망찬 새해를 기쁨으로 맞이하여 내년에는 더욱
주님과 가까이하는 한 해가 되기를 바라면서, 2016년
도여 안녕!

2016년 12월 30일 밤에

원로 장로 문병기입니다.

오늘 저는 성경을 많이 읽게 된 동기를 말씀드리고, 저를 아껴주시는 많은 성도님들이 "장로님! 요즘 어떻게 지내십니까?"라는 질문을 심심치 않게 하시기 때문에 그에 대한 대답 겸, 문병기가 사는 법에 대해서 말씀드리고자 이렇게 나왔습니다.

저는 2016년도에 성경 다독 1등상을 받았습니다. 성경 박사 김광구 집사님, 이순남 권사님이 예년에는 스무 번 정도 읽으셔서 우승을 하셨는데 고작 열세 번 읽은 제가 1등을 했다니 놀라운 일이고, 어쨌든 1등을 했으니 기분 좋은 일이지요.

그렇다면 '직장에 다니며 항상 바쁘게 사는 문 장로가 어떻게 성경을 많이 읽을 수가 있었을까?' 의아해하실 분들이 많이 계실 것 같아서 여러분의 궁금증을 풀어드리고 제가 사는 법에 대해서 말씀을 드리고자 합니다.

고난당한 것이 내게 유익이라 이로 말미암아 내가 주의 율례들
을 배우게 되었나이다 (시편 119 : 71)

여러분께서는 이미 잘 아시겠지만, 저는 2015년 11월에 사
랑하고 아끼던 아내 송 권사를 하늘나라로 보내고 2016년 1년
동안은 너무나도 힘들고 어려운 한 해를 보내며 살아왔습니다.
물론 저의 외모는 근심 걱정 없이 평범하게 사는 것으로 보였
을지 모르지만 늘 허전하고 쓸쓸한 삶의 한 해를 보냈습니다.

다행히 낮에는 직장 생활로 아내를 생각할 겨를이 없었지만
저녁에 퇴근해서 집에 오면 반가이 맞이해야 할 그 사람이 없
으니 저의 마음이야 오죽했겠습니까?

식탁에는 막내딸이 차려놓은 저녁밥이 있지만 먹는 둥 마는
둥……. 또 긴긴밤을 단잠을 자지 못하고 뜬눈으로 밤을 새울
때가 한두 번이 아니었지요. 그렇다고 해서 TV를 즐겨 보는 성
격도 아니고 신문만 거의 정독을 하는 편인데 다 읽고 나면 피곤

해서 잠을 청해보아도 달콤한 잠을 좀처럼 이룰 수가 없었지요.

그러한 상황 속에서 이런저런 고민과 옛날에 좋았던 생각들만 머릿속을 억누르니, '이런 생활을 어찌 극복해야 하나?' 고민하던 중에 하나님께서 "문 장로야! 성경을 열심히 읽어라. 성경을 열심히 읽으면 그 슬픈 잡념이 사라진다" 하는 음성을 들려주셨습니다. 그때부터 하나님께서 주신 신구약 성경을 열심히 읽다 보니 그 많던 잡념이 사라지고, 잠도 정상적으로 잘 수 있게 되었습니다.

밤이나 낮이나 시간만 있으면 성경 읽는 것이 습관이 되었습니다. 이렇게 성경에 몰두하다 보니 아내 생각이 조금씩 멀어졌는데, 그러다가 성경을 읽지 않으면 또 아내 생각이 떠오르곤 했지요.

그뿐인가요? 주말이나 공휴일이면 휴식을 취하기 위해서 들로 산으로 자연과 더불어 맑은 공기 마시며 산바람, 강바람 느끼며 사는 것이 저에게는 유일한 취미가 되었지요.

가을만 되면 배낭을 메고 김포나 강화 등 서울 근교로 나가는데 거기서 한참을 시골 정취에 푹 빠져 정서 생활을 하다 보니 몸은 건강하고 힘이 용솟음치는 삶을 살게 됩니다.

뿐만 아니라, 누렇게 익어가는 벼 이삭과 논둑에 심어진 여물어가는 콩들을 보면 시인이 된 것 같은 심정이 되어, 잘 쓸 줄 모르는 시와 산문을 써가며 정서 생활에 몰두하다 보니 저 문병기는 늙지 않는 것 같습니다.

이러한 즐거운 추억을 가지고 살아오던 제가 불행하게도 홀로 서기 어려운 홀몸 신세가 되어 처량한 삶을 극복할 방법을 찾던 중 "하나님과 함께하라"는 명령이 나의 삶을 바꾸어놓았습니다. 매일 성경을 30~40장씩 읽으니 한 달이면 한 번, 일 년이면 열두 번 이상을 읽을 수 있게 되었습니다.

저를 아껴주시는 성도님들 이런 말씀을 많이 하십니다.

"장로님! 참 얼굴도 훤하시고 몸도 건강해 보이니 보기가 좋습니다."

"권사님! 집사님! 제가 그럴 이유가 있겠습니까? 저를 좋게 보아주셔서 그렇겠지요? 둘이 살다 혼자 사는 몸이 뭐 그리 좋을 수가 있겠습니까."

"아니에요, 장로님! 장로님 얼굴만 보면 훤하고 예뻐 보여요. 혼자 사는 사람 같지 않으셔요."

여러분! 제가 정말 그렇게 깔끔하고 좋게 보이십니까? (예, 감사합니다.)

아시는 분들은 아시겠지만 제 아내가 있을 때에는 홍삼에 보약에 몸에 좋다는 것은 다 해줘서 먹었으니 당연히 몸이 좋았었는데 사별 후 몇 달 동안은 제 몸이 안 좋았던 것은 사실이지요. 그러나 이제는 아내가 해주는 보약은 먹을 수 없는데도 저의 몸이 좋아지는 비결은 무엇일까요? 바로 홍삼이나 한약보다도 더 좋은 신약과 구약을 많이 먹으니 몸이 좋아지는 줄 믿으시길 바랍니다. (할렐루야!)

여러분! 이제야 문 장로가 어떻게 성경을 많이 읽게 되었는지 궁금증이 풀리셨습니까? 이 자리에 계시는 여러분도 보약 중에서 제일 좋은 신약과 구약을 많이 드시고 건강을 유지하시기 바랍니다. (아멘.)

이제 저는, 매일 밥 세끼를 먹듯 하루도 빼놓지 않고 성경을 읽는 것이 습관이 되어 날마다 말씀을 가까이하고 있고 또한 졸필이지만, 글을 쓰는 재미로 즐거운 나날을 살아가고 있습니다. 감사합니다!

첫 손녀 이주은

할아버지는 웃음이 많으신 분입니다.

웃는 모습이 정말 예쁘십니다. 웃을 때 눈가의 주름 역시 그러하고요.

손녀인 제가 할 얘기는 아니지만, "나이를 곱게 드셨다"라는 표현은 이럴 때 쓰는 것 같습니다.

해외에 살면서 매년 여름방학이면 할아버지 댁에서 지내는데 며칠에 한 번씩 꼭 아이스크림을 잔뜩 사 오십니다.

우리 강아지들, 녹기 전에 얼른 먹으라는 말씀과 함께 말이죠.

아직도 직장에 일을 나가시고 심지어 지방 출장도 자주 다니십니다.

봄가을에는 산으로 들로 다니시며 사색과 낭만을 즐기십니다. 다녀와서는 시와 수필도 쓰시고요.

또한 매일매일 성경을 읽으십니다.

언제나 성경책 옆에 놓여 있는 돋보기가 새삼 특별해 보이
네요.

사랑하는 할머니를 떠나보내시고 매일 시와 일기, 편지를 쓰
시며 슬픔과 외로움을 이겨내셨습니다.

누구라도 읽으면 눈물이 고일 이 글들을…….

(아무래도 이모와 제가 글 쓰는 걸 좋아하는 건, 할아버지한테 물
려받은 것 같습니다.)

점점 청력이 안 좋아지시는 할아버지를 위해 천천히, 크게,
또박또박 얘기해주시는 분들이 주변에 많으십니다.

잘 살아오셨다는 증거 아닐까 싶습니다.

손녀가 늦게 들어오는 날에는 걱정이 되어 집 앞에서 기다리신 적도 많습니다.

용돈을 주실 때는 봉투에 꼭 "사랑하는 이주은에게 할아버지가 준다"라는 말을 써서 주시기도 하고요.

전화 통화를 하다가 뜬금없이 "이주은, 사랑해!"라고 말씀하시는 건 평생 잊을 수 없겠지요.

제 삶의 원동력이 될 소중한 기억이라는 것, 너무나도 잘 알고 있기 때문입니다.

할아버지는 이렇게 빈틈없이 사랑을 느끼게 하시는 분입니다.

그렇기에 언제까지고 사랑할 수밖에 없는 분입니다.

할아버지 사랑합니다.

막내딸 문혜영

    아버지 방에 들어가면 책상 가득 메모지가 쌓여 있고 방 안 구석구석에는 그때그때 모아둔 신문 스크랩 자료들이 수북하다.

    그걸 보면서, 엄마는 살아생전에 늘 그러셨다.

    "이것들 다 모아서 어디에 쓰려구요? 저렇게 먼지만 쌓이는데……."

    그 어떤 잔소리에도 아랑곳없이 아버지는 쓰고 또 쓰셨다.

    그렇게 무언가를 쓰는 행위는 엄마가 돌아가시기 전이나, 돌아가신 후에도 변함없이 계속됐다.

    무엇이 아버지로 하여금 글을 쓰게 하는 걸까?

    살기 위해서, 힘든 삶을 견디기 위해서, 뭐라도 쓰지 않으면 잠이 오지 않아서, 뭐라도 써야만 마음이 편안해져서…….

    아마도 아버지는, 당신 자신을 위해서 무언가를 쓰고 또 쓰신 게 아닐까 짐작해본다.

아버지의 이런 글쓰기는 엄마가 돌아가신 후 하루하루 페이지를 늘려갔고, 급기야 먼지 쌓인 글들이 모이고 모여 이렇게 한 권의 책으로 세상에 나오게 됐다.

오랫동안 아픈 엄마를 지켜보면서, 그리고 천국으로 보낸 후에는 날마다 그리워하면서 눈물의 이 글들을 쓰셨을 거라 생각하니, 마음이 먹먹해진다.

어쩌면 아버지는 이런 방법으로써 사랑하는 엄마를 추억하고, 또 그리워하는 건지도 모르겠다.

방송작가인 막내딸에게 가장 먼저 쑥스러운 듯 이 글들을 보여주시며 "어때?" 하시던 아버지!

그런 아버지에게 많이 많이 사랑한다고! 아빠 정말 최고라고! 말하고 싶다.

사랑하는 나의 아버지가 어느덧 올해 팔순이 되셨다.

지금까지 건강하게 우리들 곁에 계셔주심에 감사드리며 아버지의 팔순 기념 선물이자, 11월 23일 사랑하는 엄마의 2주기에 즈음해서 아버지의 이 책을 만날 수 있음에 더욱 감사하다. (천국에서 이 책을 받아보면 엄마도 무척 좋아하시겠지?!)

점점 깊어가는 이 가을……

가족의 부재로 인한 상실감으로 마음이 시리고 아픈 분들에게 부디 이 책이 작은 힘이 되고, 따뜻한 위로가 될 간절히 소망한다.

출판하는 일이 이렇게 힘들고 어렵다는 것을 알았다면
애초에 시작하지도 않았을 것입니다.
그럼에도 그 험난한 시간들을 잘 헤쳐 온 결과
어느덧 저의 작품집이 만삭이 되어
출판을 코앞에 두고 있습니다.

이제 곧 이 책이 세상에 나온다고 하니
기쁨과 설렘, 보람이 느껴집니다.
아무쪼록 이 책을 보시는 분들의 마음에
저의 글이, 저의 마음이 닿기를 바라고,
작은 위로가 된다면 더 바랄 것이 없겠습니다.

이 책이 나오기까지 많은 날들을 힘쓰고 애쓴
막내딸 혜영이에게 정말 고맙고,
우리 삼 남매의 가족들, 그리고 하늘나라에서

지켜보고 있을 아내에게
사랑한다고
말하고 싶습니다.

끝으로 이 모든 일을 주관하신 하나님께
감사와 영광을 돌립니다.

　　　　　　　　　　　－2017년 가을
　　　　　　　　　　　　문병기